PIRATAS no BRASIL

Jean Marcel Carvalho França & Sheila Hue

PIRATAS no BRASIL

AS INCRÍVEIS HISTÓRIAS dos LADRÕES DOS MARES que PILHARAM NOSSO LITORAL

GLOBOLIVROS

Copyrigth © 2014 by Jean Marcel Carvalho França
Copyrigth © 2014 by Sheila Hue

Todos os direitos reservados. Nenhuma parte desta edição pode ser utilizada ou reproduzida — em qualquer meio ou forma, seja mecânico ou eletrônico, fotocópia, gravação etc. — nem apropriada ou estocada em sistema de banco de dados sem a expressa autorização da editora.

Texto fixado conforme as regras do Acordo Ortográfico da Língua Portuguesa (Decreto Legislativo nº 54, de 1995).

Diretor editorial: Marcos Strecker
Editor responsável: Estevão Azevedo
Editor assistente: Juliana de Araujo Rodrigues
Editora de arte: Adriana Bertolla Silveira
Preparação: Maria Fernanda Alvares
Revisão: Tomoe Moroizumi
Diagramação: Diego de Souza Lima
Capa: Samir Machado de Machado
Mapa das expedições: karmo

1ª edição, 2014
5ª reimpressão, 2020

CIP-BRASIL. CATALOGAÇÃO NA PUBLICAÇÃO
SINDICATO NACIONAL DOS EDITORES DE LIVROS, RJ

França, Jean Marcel Carvalho
F881 Piratas no Brasil : as incríveis histórias dos ladrões dos mares que pilharam nosso litoral / Jean Marcel Carvalho França, Sheila Hue. - 1. ed. - São Paulo : Editora Globo, 2014.

224 p. : il. ; 23 cm.

Inclui bibliografia
ISBN 978-85-250-5827-0.

1. Piratas - Brasil - História. 2. Brasil - História - Período colonial, 1500-1822. I. Hue, Sheila. II. Título.

14-16192
CDD: 981.032
CDU: 94(81).025

Direitos exclusivos de edição em língua portuguesa para o Brasil adquiridos por Editora Globo S. A.
Rua Marquês de Pombal, 25 — 20230-240 — Rio de Janeiro — RJ
www.globolivros.com.br

SUMÁRIO

Apresentação — A pirataria no litoral brasileiro 7
I. Thomas Cavendish (1591) 17
II. James Lancaster (1595) 55
III. Jean-François du Clerc (1710) 87
IV. René Duguay-Trouin (1711) 121
Cenário das invasões 161
Notas 183
Bibliografia 199

APRESENTAÇÃO
A PIRATARIA NO LITORAL BRASILEIRO

Piratas e corsários

A PIRATARIA É UMA VELHA conhecida do Ocidente. Já no século VIII a.C. os gregos a praticavam com certa assiduidade no mar Egeu. Não por acaso, a *Odisseia*, um livro repleto de aventuras marítimas, traz inúmeras menções aos homens que, "cortando as salgas vagas" com suas "embarcações errantes", emboscavam e saqueavam as naus daqueles que não podiam prescindir das vias marítimas para se deslocar ou para transportar suas mercadorias. Eram os "ruins piratas", que infestavam o mar "expondo as vidas para infortúnio e dano de estrangeiros".[1]

Os romanos também conviveram, ao longo de toda a existência do seu vasto e poderoso Império, com os tais "ruins piratas". Daí os esforços que empreenderam para controlar o mar Mediterrâneo, o *Mare Nostrum* [nosso mar], e livrá-lo dos homens que tanto medo levavam às cidades portuárias do Império e tanta insegurança geravam entre os que se viam, por dever de ofício ou necessidade, obrigados a navegá-lo. Plutarco narra que, durante as Guerras Mitridáticas, no século I a.C., quando a segurança do Mediterrâneo andou descuidada, o número de embarcações piratas que circulavam por lá beirava o milhar, e o número de cidades costeiras atingidas pelo flagelo não era menor que quatrocentos.² O problema se agravou com a dissolução do Império romano e, mais ainda, depois das levas de mulçumanos que se instalaram na península Ibérica a partir do século VIII. Ao norte, entre o Báltico e o canal da Mancha, o problema eram os piratas escandinavos e normandos, bandidos que por séculos levaram o terror às regiões costeiras da Escandinávia, da Germânia, das ilhas britânicas e da França.³

Os piratas que povoam este livro, no entanto, não são exatamente iguais a seus antecessores. Há, é verdade, quem diga que se trata de um velho personagem num tempo e num mundo novos, mas não é bem assim. A pirataria dos séculos XVI, XVII e XVIII, a denominada pirataria moderna, nasceu com o descobrimento do Novo Mundo, com o descobrimento da América, na última década do século XV.⁴ O inesperado retorno de Colombo do que o navegador ainda acreditava ser Cipango (Japão) desencadeou uma verdadeira corrida pelo controle do Atlântico entre as duas potências marítimas de então, Portugal e Espanha, corrida que levou, em 1494, à assinatura do conhecido Tratado de Tordesilhas. O tratado consagrava o princípio do *Mare clausum* [mar fechado], que garantia a liberdade de circulação pelos mares conhecidos ou a conhecer e a posse sobre as terras aí descobertas ou a descobrir somente aos dois reinos peninsulares. Em outras palavras, de modo surpreendente, Portugal e Espanha, ignorando solenemente os demais reinos da Europa, dividiram em partes iguais os oceanos e os mundos aí contidos.⁵

A inesperada partilha, que de certo modo autorizava navegadores lusos e espanhóis, durante suas perambulações pelo Atlântico Sul, pelo Índico e pelo Pacífico, a tomar posse de tudo que encontrassem pela frente em nome de seu rei, não passou desapercebida aos demais reinos da Europa. Ao contrário, à medida que o interesse pelos novos mundos descobertos pelos países peninsulares aumentou entre ingleses, franceses e, um pouco mais tarde, holandeses, o princípio de um mar fechado, um mar exclusivo de portugueses e espanhóis, passou a ser sistematicamente combatido.

Ilustrativo do descontentamento que a partilha gerou nos demais reinos europeus é o irônico comentário do rei da França, Francisco I, que dizia desconhecer a cláusula no testamento de Adão determinando a singular divisão promovida pelos reis ibéricos com a benção de Alexandre VI, um papa espanhol. Franceses e ingleses, a propósito, não se limitaram a lamentar e a ironizar o tratado ibérico, ao contrário, lançaram-se à conquista de posições nos mares e, sobretudo, no continente americano. Os holandeses entraram na disputa um pouco mais tarde, mas não com menos voracidade. Foi dos Países Baixos que saiu a muito citada em seu tempo *Dissertação sobre a liberdade dos mares*, de Hugo Grotius, publicada em 1608. A história que envolve a escrita do ensaio de Grotius diz muito sobre seu conteúdo e sobre o clima que então se vivia nas cidades portuárias da Europa.[6]

Em 1603, uma frota holandesa pertencente à Companhia das Índias Orientais aprisionou, em Malaca, a nau portuguesa *Santa Catarina*, que transportava uma carga riquíssima. Os acionistas da companhia, homens devotos, pertencentes à seita menonita,[7] tiveram dúvida sobre a legalidade da captura, uma vez que as relações de Portugal com a Holanda não eram de hostilidade. Os piedosos holandeses pediram, então, para aliviar a consciência, um parecer sobre a questão a um jovem advogado de Delft, Hugo Grotius, que redigiu, como resposta, um longo escrito intitulado *O direito de saquear*, cuja parte XII, *Mare Liberum* [mar aberto], publicada separadamente em 1608, alcançou um imenso sucesso e despertou inúmeras polêmicas. O princípio geral do mar aberto é simples e claro: deve haver liberdade de navegação em alto-mar para navios de todas as nações. Eis o que diz o jovem Grotius na abertura do primeiro dos treze capítulos que compõem seu escrito:

> Propusemo-nos demonstrar, breve e claramente, que é um direito dos holandeses, isto é, dos súditos das Províncias Unidas bélgico-germânicas, navegar, como de fato fazem, para as Índias e manter comércio com os povos do lugar. Tomaremos por base esta regra elementar do direito dos povos, denominada primária, cujo significado é claro e imutável, a saber: é permitido a qualquer nação se aproximar de qualquer outra nação e negociar com ela.[8]

Grotius, na verdade, deu forma legal a uma prática que se consolidava nos mares: o questionamento sistemático da partilha dos oceanos e das terras descobertas feita por portugueses e espanhóis. No entanto, a transição para uma nova partilha — partilha que passou a incluir ingleses, franceses e holandeses — durou pelo menos dois séculos e contou com a decisiva contribuição daqueles que supostamente defendiam a total liberdade dos mares, os piratas. Atraídos pelas notícias da descoberta de grande quantidade de ouro e prata na América e, sobretudo, pela enorme debilidade da Marinha espanhola e da portuguesa — sempre incapazes de proteger os portos e as frotas que escoavam as riquezas americanas —, é notável sua proliferação pelo Atlântico e pelos Mares do Sul, da região do Caribe aos portos do Chile e do Equador, entre a metade do século XVI e o primeiro quartel do século XVIII.[9]

Ao longo do período em que atuaram, esses homens — geralmente marginalizados da sociedade europeia, recrutados pelos governos ou por particulares com a promessa de uma vida de riquezas e aventuras — receberam designações diversas: *piratas* (do grego *peirates*), entendido pura e simplesmente como ladrões do mar; mas também *corsários*, ladrões do mar que contavam com uma carta de corso, isto é, com uma autorização de seu rei para saquear navios e colônias pertencentes a reinos inimigos, respeitando as leis da guerra, ou capturar embarcações piratas (aquelas que não navegavam sob a bandeira de nenhuma nação). Por vezes, foram também chamados *flibusteiros*, piratas que atuavam contra as possessões e os navios espanhóis nas regiões do Caribe e dos Mares do Sul; aos flibusteiros sucederam os *bucaneiros*, designação que predominou a partir do final do século XVII e que se refere sobretudo aos piratas que exerciam seu ofício no mar das Antilhas.

Os nomes diferem, mas as atividades exercidas por uns e outros muito se assemelham. A distinção mais saliente talvez seja entre corsários e piratas: portadores ou não de carta de corso e de vínculo com a Marinha real de seus países. Mas mesmo aqui as coisas não são tão claras. Há corsários financiados por particulares, há aqueles financiados pelo rei e há, ainda, aqueles bancados em parte pelo rei e em parte por companhias de comércio particulares. Também bastante comuns são os casos de piratas que, depois de muitas aventuras como autônomos, são incorporados à Marinha de algum reino e passam a atuar como corsários, respeitando os tratados internacionais. Tal conversão — que se deu num crescendo e em paralelo com o estabelecimento da nova partilha dos mares e das terras descobertas, consolidada no primeiro quartel do século XVIII — foi decisiva para o desaparecimento dessa figura que, durante séculos, esteve associada, erroneamente na maioria dos casos, à aventura descompromissada e à defesa da liberdade dos mares.[10]

Os ladrões do mar que o leitor conhecerá neste livro são todos corsários. Os quatro, Thomas Cavendish (1591), James Lancaster (1595), Jean-François du Clerc (1710) e René Duguay-Trouin (1711), ainda que tenham sido patrocinados por companhias de comércio particulares, atacaram as cidades da costa brasileira (Santos, Recife e Rio de Janeiro) com autorização de seus monarcas e tiveram, supostamente, o propósito político comum de causar interrupções e perdas no fluxo de riquezas da colônia para a metrópole — além, é claro, de enriquecer a si próprios e aos acionistas das companhias que tinham pagado as aventuras. Há, contudo, muitas dessemelhanças entre as histórias desses corsários, dessemelhanças que convidamos o leitor a descobrir acompanhando suas traumáticas passagens pelo litoral brasileiro.

1. Thomas Cavendish (1591)

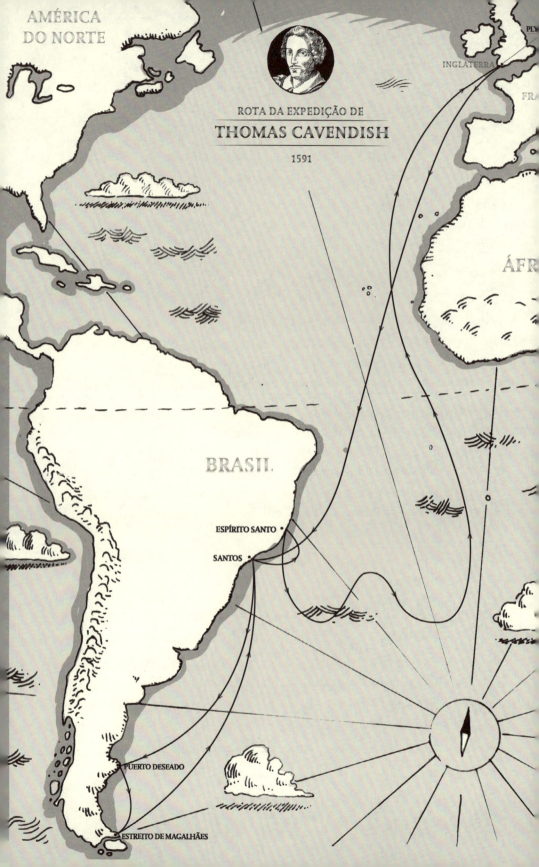

A missa de Natal na vila de Santos

A MISSA DA OITAVA DE Natal dos moradores da vila de Santos, na manhã de 25 de dezembro de 1591, transcorria como nos outros anos e talvez contasse com uma presença ilustre, o superior dos jesuítas, padre Marçal Beliarte, que passava uma temporada na região. Nessa mesma manhã, ancorada nos arredores da ilha de São Sebastião, não muito longe dali, uma frota armada por um jovem aristocrata inglês aguardava notícias de seu capitão, John Cocke, que tomara o caminho de Santos com algumas barcaças, com a missão de atacar e tomar a vila.

Para os ingleses foi uma feliz coincidência terem encontrado quase todos os habitantes de Santos na missa e sem chance de resistir ao assalto. Para os colonos, acuados pelos ingleses e sem socorro, começava um período peculiar de sua história, que agora se entrelaçava aos lances perigosos da política marítima da rainha Elisabeth I contra a hegemonia espanhola no Novo Mundo. Um dos ingleses que fez parte da tomada da vila, o aventureiro Anthony Knivet, assim resume a ação inglesa, facilitada pelo elemento surpresa: "desembarcamos e marchamos até a igreja, onde tomamos todas as espadas sem resistência". Trezentos ingleses passariam dois meses em Santos, ocupando a cidade, antes de seguirem viagem para o estreito de Magalhães.

O ataque e a tomada da vila de Santos por Thomas Cavendish (1560-1592) não foi o primeiro contato da gente da terra com os súditos da rainha da Inglaterra. A vila de Santos já tinha sido frequentada por navios ingleses. Dez anos antes recebera a visita comercial do *Minion of London*, nau carregada de mercadorias que viera negociar pacificamente manufaturas pelo açúcar brasileiro. Santos tinha pelo menos dois ingleses lá radicados, e um deles, John Whithall, era um senhor de engenho que mantinha contato frequente com a Inglaterra, genro de um dos principais homens da região, o genovês José Adorno. John Whithall, ali apelidado de João Leitão, tinha sido originalmente um agente comercial, e o *Minion of London* viera a Santos em 1581 por iniciativa dele, que planejava estabelecer uma rota comercial com seu país de origem. O projeto era o envio anual de um navio mercante de Londres para o porto de Santos. Negociar o açúcar que Whithall produzia não era, porém, o que Cavendish buscava na costa brasileira.

A nova visita inglesa a Santos, em dezembro de 1591, tinha, pois, outro caráter. Não se tratava mais de comércio, mas da prática sistemática de saque, pilhagem e destruição, prática glorificada por Francis Drake, herói nacional que inspirava a carreira de uma geração de ingleses. A frota do jovem aristocrata Thomas Cavendish trazia mais homens de guerra que marinheiros — Santos foi tomada não por homens do mar, mas por soldados. O objetivo de sua expedição marítima não era o Brasil, mas sim o Oriente, onde pretendia consolidar os contatos estabelecidos por Francis Drake, de 1577 a 1580, e por ele mesmo na circum-navegação que havia realizado alguns anos antes, entre 1586 e 1588. Santos era apenas a primeira parada antes de rumarem para o estreito de Magalhães e em seguida lançarem-se em direção às

Filipinas, à China e ao Japão. As motivações para uma empreitada dessa envergadura eram muitas e de diferentes naturezas. Havia o desejo de glória, comum aos navegadores ingleses daquele período, havia o ímpeto nacionalista de quebrar o monopólio espanhol, o sonho de honra e riquezas conquistadas numa viagem ultramarina triunfante, e, no caso de Thomas Cavendish, havia também a urgente questão de uma fortuna pessoal arruinada, que ele pretendia refazer a ferro e fogo nas rotas monopolizadas pela Espanha. A expressão *capitalista selvagem*, apesar de anacrônica, pode iluminar esse quadro.

O nobre que se tornou corsário

Thomas Cavendish, o "franco ladrão dos mares" e "terrível flibusteiro" da historiografia luso-brasileira, não tinha o perfil esperado para um pirata ou um corsário. Filho de uma família nobre de Suffolk, parente dos duques de Devonshire e dos duques de Newcastle, o ainda adolescente Thomas Cavendish herdou, aos 12 anos, a enorme fortuna do pai. Alguns anos depois, após abandonar os estudos em Cambridge e já instalado em Londres, no coração da corte elisabetana, seu estilo de vida extravagante e aventureiro o levou tanto a ser processado por não pagamento de dívidas e ganhar fama de perdulário quanto a investir em empresas políticas e comerciais ultramarinas — por exemplo, na viagem secreta de um agente de *sir* Francis Walsingham (o homem forte de Elisabeth I) a Constantinopla em 1581, com vistas a abrir uma rota comercial inglesa com o Oriente.

Sua primeira experiência no mar aconteceu aos 25 anos, quando, sem nenhuma prática marítima ou militar, foi nomeado alto almirante da frota armada por Walter Raleigh para a colonização da Virginia, que hoje compreende os estados da Virginia e da Carolina do Norte, nos Estados Unidos. Cavendish comprou e armou a sua própria custa a pinaça *Elizabeth*, que partiu, em abril de 1585, junto com as outras naus da frota comandada por Richard Grenville, para fundar a colônia de Roanoke, uma das primeiras tentativas de colonização inglesa da América. Tendo tomado algumas aulas teóricas de navegação poucos anos antes na Durham House, espécie de quartel-general de Walter Raleigh, onde conheceu os dois índios trazidos da Virginia que estavam ali hospedados, Cavendish partiu para sua primeira viagem marítima como o segundo em importância na frota e, provavelmente, o primeiro em inexperiência.

Thomas Cavendish estava no epicentro dos acontecimentos da corte de Elisabeth I. Voltou da expedição à Virginia sem lucro e sem remediar suas alquebradas finanças, mas com uma ainda mais sólida rede de contatos, e imediatamente se empenhou em organizar outra viagem ultramarina, não mais de colonização, mas de exploração e pilhagem. Conseguiu licença da rainha e preparou-se, em 1586, para realizar nada menos que a circum-navegação do globo, como havia feito seis anos antes Francis Drake, o primeiro inglês a romper e desafiar o monopólio espanhol no Novo Mundo. Por meio de uma série de empréstimos, vendas e hipotecas de seu *real estate* (operações que por si só dariam um livro), Cavendish comprou o galeão *Desire* e a pinaça *Hugh Gallant*. Outros investidores de peso se juntaram a ele: Walsinghan, mercadores de Londres, um primo da rainha e também Walter Raleigh, que se associou à viagem com uma pinaça. Na tripulação, veteranos da viagem de Drake e um comandante experiente em viagens ao Brasil.

É nessa bem-sucedida circum-navegação que Cavendish vem ao Brasil pela primeira vez. Sua frota ancora durante um mês na face continental da ilha de São Sebastião, na capitania de São Vicente, ilha em que atualmente está o município de Ilhabela. Lá consertam as naus, constroem uma pinaça, produzem cordas e tentam entrar em contato com John Whithall, alegando serem comerciantes, mas não obtêm resposta. Dali, seguem para uma viagem realmente triunfante. Cavendish saqueia e incendeia dezenas de vilas e naus no litoral da América espanhola, captura o riquíssimo galeão real *Santa Ana* — o maior butim já conseguido por um inglês até então —, chega às Filipinas e à costa da China e volta com mapas e informações estratégicas para os projetos elisabetanos de expansão marítima e comercial rumo ao fabuloso Oriente.

Aos 28 anos, é o terceiro homem a completar a circum-navegação do globo, façanha que manda registrar em um retrato feito pelo gravador flamenco Jodocus Hondius, e no qual se representa com um planisfério marcado pela rota de sua viagem. Logo após voltar para a Inglaterra, foi recebido como herói pela rainha numa cerimônia naval, a qual chegou espetacularmente a bordo do *Desire*, como relatou o embaixador espanhol em Londres, d. Bernardino de Mendoza, ao rei Filipe II:

> O navio de Thomas Cavendish foi trazido do West Country e velejou diante da corte em Greenwich. Entre outras coisas, a rainha disse: "o rei da Espanha late muito mas não morde. Não nos importamos com os espanhóis; seus navios, carregados de ouro e prata, chegam até aqui apesar de tudo". Todos os marinheiros usavam uma corrente de ouro em torno do pescoço e as velas do navio eram de damasco azul, e o estandarte era de tecido de ouro e seda azul. Foi como se Cleópatra tivesse ressuscitado.[1]

A Invencível Armada[2] acabara de ser derrotada pelos ingleses, em agosto de 1588. Um mês depois, Cavendish e seus tesouros subtraídos aos espanhóis marcavam mais uma vitoriosa etapa no projeto inglês de desmantelar o Império ultramarino de Filipe II.[3] É o que Cavendish diz em uma carta escrita na ocasião:

E da mesma forma que prouve a Deus dar a Sua Majestade a vitória sobre parte de seus inimigos, creio eu que logo ela triunfará sobre todos eles. Os territórios onde estão suas riquezas, onde guardam e produzem suas mercadorias, estão agora perfeitamente descobertos, e se isso for do agrado de Sua Majestade, com um pequeníssimo poder ela poderá tomar o butim de todos eles.[4]

Tomar o butim dos espanhóis no Novo Mundo era uma política de Estado inglesa.

O tesouro trazido por Cavendish de sua viagem de circum-navegação não durou muito, após o pagamento de dívidas, salários e outros encargos. Mandar fazer um retrato — algo comparável hoje a mandar fazer uma estátua — não deve ter sido uma de suas despesas mais vultosas depois de retornar de sua volta pelo globo. A historiografia inglesa é unânime em afirmar que em pouco tempo suas finanças estavam novamente em ruínas. A *Cleópatra* de d. Bernardino de Mendoza havia ido novamente à bancarrota. É neste momento, em 1591, que Cavendish planeja o que seria sua última expedição marítima, na qual passaria uma temporada de dois meses em Santos, na capitania de São Vicente, e da qual nunca retornaria.

Hora de voltar ao mar

Cavendish pretendia tirar proveito das abundantes informações, dos roteiros e mapas das Molucas, da China e do Japão, documentos recolhidos ou produzidos pelos homens de sua frota durante a circum-navegação. Ao atingir pela segunda vez o Oriente, planejava estabelecer uma rota comercial direta com a Inglaterra, quebrar o monopólio ibérico e, ao mesmo tempo, voltar com os navios carregados de mercadorias de alto preço. Se a primeira viagem em que circum-navegou o globo tinha sido de descobrimento e reconhecimento, esta seria de conquista. Cavendish obteve uma comissão da rainha para empreender a nova travessia marítima e uma licença para atacar navios e portos espanhóis, mas dessa vez não despertou o entusiasmo de investidores da corte e dos mercadores, desinteresse provavelmente motivado pelas grandes perdas sofridas na circum-navegação, da qual apenas um navio voltou à Inglaterra.

A frota da nova viagem (1591-1592), armada às expensas do próprio Cavendish, não cumpriria o plano de chegar ao Oriente: depois da longa estadia em Santos, acabaria por não ultrapassar o estreito de Magalhães e terminaria com a morte de seu almirante no meio do Atlântico. Quatro naus da frota pertenciam a Cavendish: o galeão *Leicester*, sob seu comando, o *Roebuck*, com o capitão John Cocke, além do veterano *Desire*, comandado por John Davies, e da *Black Pinnace*, com Tobias Parris. John Davies era uma das figuras de maior relevo da navegação inglesa, um homem de sólida reputação, explorador do Ártico e empenhado em descobrir a então chamada *northwest passage*, uma passagem marítima do Atlântico Norte para o Pacífico através do Ártico, que, quando descoberta, facultaria o fácil acesso inglês ao Oriente, projeto apoiado pela rainha e pelo influente conselheiro e geógrafo Richard Hakluyt. O plano de Davies era seguir com Cavendish até a Califórnia e dali partir para uma viagem de descobrimento no Pacífico Norte, subindo a América, em busca do lado oeste da imaginada passagem. Davies foi o único investidor na nova viagem de Cavendish: além de comandar a *Desire*, levou a *Dainty*, uma nau de sua propriedade em sociedade com Adrien Gilbert, comandada por um amigo pessoal, o capitão Randolf Cotton.

A bordo do gigante galeão *Leicester* e do *Desire* ia todo tipo de tripulante da nobreza inglesa, alistado como homem de armas. Jovens de alta estirpe, descapitalizados, que viam na pilhagem dos tesouros espanhóis um método legítimo de estruturar suas vidas. Figuras da Inglaterra elisabetana como o poeta Thomas Lodge, filho do prefeito de Londres, então um jovem deserdado e endividado, mas já um autor conhecido,[5] ou como o aventureiro Anthony Knivet, filho natural de sir Henry Knivet, também em busca de fortuna, e autor de um livro de memórias sobre a viagem.[6] Para conseguir uma colocação numa frota como a de Cavendish era preciso ter conexões na corte elisabetana e saber manusear um mosquete, ou seja, ser um *musketeer* — um mosqueteiro. Seguiam também diversos tipos de profissionais, como médicos, agentes comerciais, dois jovens japoneses capturados na viagem de circum-navegação e os músicos particulares de Thomas Cavendish. De um total de 330 homens na frota, estima-se que duzentos pertenciam à nobreza, com direito não somente à pilhagem, mas também a uma participação no montante do saque.[7]

Uma pequena vila ganha importância estratégica

Santos seria somente uma estadia inicial e estratégica, quase secreta, na fase inicial de uma extensa viagem. Entretanto, a longa temporada dos ingleses na vila litorânea terminou por ser decisiva no desastre em que se transformou a viagem, a última da luminosa carreira de Cavendish. Numa empreitada planejada para as Filipinas e a China, a princípio parece difícil compreender por que a vila de Santos, no litoral da capitania de São Vicente, nos confins da civilização, teria entrado nos planos de um ambicioso navegador inglês em demanda dos tesouros do Oriente.

A ideia de conquistar uma das vilas mais ao sul do Brasil, entretanto, não era nova para os ingleses, pois, na expansão marítima pelo Atlântico Sul, elas eram consideradas estratégicas tanto para a navegação do estreito de Magalhães quanto para o abastecimento das naus. A ausência de fortificações e defesas nas vilas litorâneas da colônia era um facilitador. Como dizia um senhor de engenho luso-baiano em 1587, em carta ao rei da Espanha,

> os corsários com mui pequena armada se senhorearão desta província, por razão de não estarem as povoações dela fortificadas [...], do que vivem os moradores dela tão atemorizados que estão sempre com o fato entrouxado para se recolherem para o mato, como fazem à vista de qualquer nau grande, temendo-se serem corsários.[8]

A capitania de São Vicente era conhecida dos ingleses desde a volta de uma das naus da frota de Drake, em 1579, quando o comandante John Winter e sua tripulação, que estiveram ancorados próximo a São Vicente e travaram contato com John Whithall, divulgaram as qualidades da região. Um dos conselheiros da rainha, Richard Hakluyt, aconselhara a soberana no mesmo ano:

> A ilha de São Vicente pode ser facilmente tomada por nossos homens, visto que não tem guardas e não é fortificada, e sendo conquistada deve ser mantida por nós. Essa ilha e a região circunvizinha é tão abundantemente provida de mantimentos que pode alimentar infinita multidão de gente, como nos relataram nossos homens que lá estiveram com Drake, e que lá conseguiram vacas, porcos, galinhas, limões, laranjas etc.[9]

Richard Hakluyt havia inclusive cogitado um projeto de colonização, "considerando o extremo sul do Novo Mundo altamente importante para o futuro da Inglaterra como uma potência comercial e colonial".[10] Numa carta à rainha, ele assevera:

> Instalando entre eles alguns bons capitães ingleses, e mantendo nas baías do estreito uma boa armada, não há dúvida de que iremos submeter à Inglaterra todas as minas de ouro do Peru e toda a costa e trato daquela terra firme da América ao largo do mar do Sul. E fazer o mesmo em regiões vizinhas àquela terra.[11]

Poucas providências tinham sido tomadas desde então para remediar a desproteção do litoral brasileiro. E havia ainda um fator que tornava Santos e São Vicente especialmente interessantes: a descoberta da mina de Jaguará — hoje às margens da rodovia Anhanguera — e os muitos rumores sobre os descobrimentos de novas minas de ouro na região. Segundo as noções geográficas da época, como afirmou um dos ingleses que comerciaram pacificamente em Santos em 1581, o Peru ficava "somente a doze dias de viagem por terra e mar desde a vila de Santos",[12] o que significava que poderia ser uma região igualmente rica em ouro. Em 1578, John Whithall escrevera a comerciantes de Londres afirmando que o provedor Brás Cubas — fundador da vila de Santos e figura de maior proeminência na região — e o capitão-mor Jerônimo Leitão tinham descoberto "algumas minas de prata e ouro, e estão aguardando a qualquer momento a chegada de mestres para abrir as ditas minas que, quando abertas, irão enriquecer em muito esta terra; este lugar se chama São Vicente [...], perto da fronteira com o Peru".[13]

Pouco tempo depois, o navegador espanhol Diego Flores de Valdés escreve ao rei Filipe II sobre as minas de prata, ouro e cobre "já descobertas e das quais sua majestade já recebeu amostras".[14] No mesmo ano em que Cavendish chega a Santos, o novo governador-geral do Brasil, d. Francisco de Sousa, está na Bahia envolvido em uma entrada de descobrimento de minas, e em breve passará longa temporada na capitania de São Vicente. A oportunidade do descobrimento de metais no sudeste do Brasil não era desconhecida de Thomas Cavendish e provavelmente alguns dos homens de sua tripulação já haviam estado no Brasil, na capitania de São Vicente.

Os ingleses, na verdade, tinham uma linha direta com Santos, na pessoa de John Whithall, e estavam bem informados sobre a região. Em 1582, o corsário Edward Fenton, por intermédio de Whithall, havia feito contatos na vila e, ao que tudo indica, tivera a intenção de estabelecer ali uma colônia inglesa, mas seus planos foram interrompidos pela chegada da armada de Flores de Valdés, que expulsou os ingleses dali — uma das poucas atitudes de Filipe II para proteger o litoral brasileiro. O próprio Cavendish, como vimos, havia tentado contato com Whithall quando passara uma pequena temporada na ilha de São Sebastião, e trouxera dessa viagem um roteiro detalhado da costa da capitania de São Vicente, com a descrição de regimes de ventos, correntes, profundidades e topografia da costa, o que demonstra o interesse na região.

Para os historiadores ingleses, a longa temporada de Cavendish em Santos carece de lógica. Como observa Philip Edwards, Cavendish "passou um tempo inexplicavelmente longo ocupando Santos".[15] Entretanto, no escopo das viagens anteriores e dos discursos ingleses sobre a expansão marítima, Santos e São Vicente surgiam como uma espécie de terra prometida e possível Eldorado ainda inexplorado. Thomas Cavendish, em sua busca por riquezas — não por acaso seu navio principal era um enorme galeão de quatrocentas toneladas, capaz de transportar grande quantidade de carga —, provavelmente planejara investigar as informações sobre a riqueza mineral da capitania, numa prospecção de novos e promissores mercados.

O projeto de Cavendish, portanto, ao que tudo indica, não era somente atacar e saquear Santos, como fizera anos antes em uma série de vilas na costa do Pacífico durante a viagem de circum-navegação. Seu projeto para Santos tinha outro caráter. O que ocorreu na vila em janeiro e fevereiro de 1592 não foi apenas um ataque pirata, mas uma verdadeira ocupação, uma conquista, ainda que breve.

A viagem e a conquista de Santos

A FROTA PARTIU DE PLYMOUTH em 5 de setembro de 1591, semanas depois da data planejada e após uma sucessão de problemas no recrutamento dos marinheiros e no abastecimento, sem a quantidade necessária de víveres e mantimentos para alimentar os homens durante a travessia do Atlântico. Seguiu direto para o Brasil, enfrentando 27 dias de calmaria, nos quais a tripulação, além de sofrer "o calor extremo do sol e os vapores noturnos",[16] escassez e privações de todo tipo, enfrentou o gênio tirânico de Cavendish, sempre pronto a enforcar quem desobedecesse a suas ordens. A frota chegou ao Brasil nas piores condições, faminta e doente de escorbuto, ávida por mantimentos, água e repouso, mas nem por isso incapaz de atacar e pilhar.

Ao se aproximarem do litoral, em 29 de novembro, capturaram uma nau portuguesa que ia de Pernambuco para o rio da Prata. Era um navio negreiro carregado também de mercadorias. "Nesse navio capturamos um padre que tinha se escondido num caixote de farinha",[17] conta em seu livro de memórias o jovem aventureiro inglês Anthony Knivet, demonstrando o terror que se instalava nas tripulações no litoral do Brasil, frequentemente atacadas em viagens ao longo da costa, "que andava infestada de franceses e ingleses".[18]

Para seguir viagem, aprisionaram o piloto português do navio, Gaspar Jorge, que guiou a frota até Ilha Grande, na atual baía de Angra dos Reis. Ali, os fidalgos ingleses da tripulação, esfomeados e doentes, se comportaram como verdadeiros piratas, segundo Knivet, que estava lá e participou do ataque a meia dúzia de pobres casas de colonos e índios, onde não havia muito mais do que raízes, bananas e alguns porcos e galinhas:

> nessa ocasião, houve tanta confusão entre os nossos que, se os portugueses fossem mais corajosos, teriam matado muitos de nós. Nossos homens brigavam por comida como se fossem judeus e não cristãos, e aqueles que conseguiam o melhor bocado escondiam-no em algum buraco, ou embaixo de alguma árvore na mata, e assim ficavam enquanto tivessem o que comer. De minha parte, naquele lugar cheio de trapaças não consegui comida nem dinheiro, de modo que, levado pela pura fome, me meti na floresta para tentar caçar alguma coisa ou encontrar algumas batatas. Enquanto seguíamos, encontramos sete ou oito homens de nosso grupo que se aglomeravam ao redor de um porco que haviam matado e brigavam para ver quem ficaria com a melhor parte. Chegamos bem no momento em que começavam a se socar, e assim roubamos um pedaço da caça e corremos para dentro da floresta onde passamos muito bem a noite.[19]

Ao saírem de Ilha Grande, os ingleses, como era de praxe nesse tipo de ação, queimaram todas as casas e também o navio negreiro, abandonando a tripulação portuguesa e os escravos na praia. "De tarde, após incendiarmos o navio e queimarmos todas as casas, deixando o comerciante e todos os seus negros na praia, partimos de lá", conta com naturalidade Knivet, um dos soldados empenhados na ação.

Dali, rumaram para a ilha de São Sebastião, onde Thomas Cavendish já fizera uma parada para abastecimento em sua viagem de circum-navegação em 1586. Mas, desta vez, em lugar de permanecer na ilha e abastecer a frota antes de seguir viagem litoral abaixo, o plano era outro. Ancorados na ilha de São Sebastião,

> todos os pilotos e capitães embarcaram no navio do capitão--mor para saber como este pretendia tomar a cidade de Santos. Todos resolveram que nosso barco longo e nossa chalupa com somente cem homens eram suficientes, já que o piloto português [Gaspar Jorge] nos tinha dito que a cidade não era fortificada.[20]

Fundeado na ilha de São Sebastião, Cavendish enviou duas naus para a tomada da vila de Santos, o *Desire*, comandado por John Davies, e a *Black Pinnace*, capitaneada por John Cocke, que levava um grande contingente de homens de armas. Houve briga na hora de entrar nas naus que fariam o ataque. Depois da miséria que encontraram em Ilha Grande, desta vez os soldados ingleses tinham esperança de uma pilhagem lucrativa. Valia tudo na hora de encontrar um meio de ir a bordo, conforme as memórias de Knivet:

> Quando chegou o momento dos barcos partirem, havia tantos de nós que queriam embarcar, que começamos a brigar e lançarmo-nos uns aos outros ao mar. Assim que o nosso capitão-

-mor ouviu o barulho, ordenou a todos que retornassem ao navio. Como eu temia o capitão-mor e queria estar entre os primeiros a ir (pois já tinha visto que os últimos nunca conseguiam nada de valor) me enfiei debaixo do banco da nossa chalupa, e lá fiquei por duas horas. O barco, no entanto, foi se enchendo e eu não conseguia mais sair e teria sufocado se não fosse por William Waldren, nosso contrapiloto e timoneiro da chalupa, que, ouvindo-me chamar debaixo dele, retirou as tábuas e salvou minha vida.[21]

Enquanto uns rezam, outros atacam

Na manhã do dia 25 de dezembro as naus já estavam próximas e alguns homens se dirigiram à vila a bordo de botes. Em determinado momento, o sino da igreja soou.

Justo então Gaspar Jorge, o piloto português, contou-nos que aquele era o momento certo para desembarcar pois, pelo tocar do sino, estavam todos na metade da sua missa, e que naquele instante o padre levantava o pão do sacramento para que os fiéis o adorassem.[22]

Vinte e quatro soldados ingleses, sob o comando do capitão Cocke, realizaram a primeira investida, assim descrita por um dos tripulantes do *Desire*, o agente comercial John Jane: "nessa ação tomamos todas as pessoas da cidade na missa, tanto homens quanto mulheres, os quais nós mantivemos presos na igreja durante todo o dia".²³ De acordo com Anthony Knivet, "na igreja havia trezentos homens além de mulheres e crianças".²⁴

Enquanto a maioria dos ingleses mantinha sentinela na igreja, esperando que o restante dos homens desembarcasse, "alguns portugueses que estavam em suas casas puderam escapar com os seus e com o dinheiro que tinham".²⁵ Para alguns dos ingleses, esse foi um erro estratégico, que comprometeu o montante do saque. John Jane, em seu relato de viagem, escrito em grande parte para culpar Cavendish pelo fracasso da viagem e para eximir o almirante John Davies de qualquer culpa pelo desastre, lastimou:

> Foi tal a negligência de nosso comandante Master Cocke que os índios conseguiram carregar para fora da cidade o que quiseram, e a vista de todos, e ninguém os controlou, e no dia seguinte ao que tomamos a cidade nossos prisioneiros foram todos postos em liberdade, e somente quatro pobres velhos foram mantidos como garantia para prover as nossas necessidades. Desta forma em três dias a cidade, que estava apta a abastecer qualquer frota com todos os tipos de produtos, foi deixada para nós praticamente nua, sem habitantes e sem provisões.²⁶

Knivet, ao contrário de Jane, registra que "na vila havia um bom estoque de alimentos, doces cristalizados, açúcar e farinha de mandioca, com a qual fizemos ótimo pão", e que os moradores só foram libertados após ordens recebidas de Cavendish. Ele relata:

> Tão logo saqueamos a vila e posicionamos nossos homens, mandamos notícias ao capitão-mor sobre tudo o que havia sido feito. Depois que o capitão-mor nos enviou resposta, libertamos todos os portugueses exceto sete ou oito homens de

importância e nos fortificamos na cidade sob as ordens do capitão Cocke, capitão da almiranta e nosso comandante em terra.²⁷

Sobre a extensão dos danos materiais cometidos na região, os relatos ingleses são sucintos e diretos. John Jane diz que, após dois meses de ocupação, "partimos de Santos e queimamos São Vicente até o chão".²⁸ Anthony Knivet, igualmente econômico, registra que, ao abandonarem Santos, "nossos homens caminharam por terra até outra vila chamada São Vicente e no caminho queimaram cinco engenhos de açúcar".²⁹

As narrativas inglesas sobre a invasão, objetivas e desapaixonadas, contrastam com os poucos testemunhos coloniais contemporâneos. Um desses testemunhos é o do provincial da Companhia de Jesus, padre Marçal Beliarte, que presenciou o assalto inglês e que, coincidentemente, durante a viagem que o levara a Santos, tinha escapado, no mar, da frota de Cavendish. O padre Beliarte registrou numa carta de agosto de 1592 sua versão dos fatos:

> Porque deixando os perigos do mar e da navegação, [Deus] nos livrou quase milagrosamente de uma armada de ingleses luteranos, que por esta costa anda, havendo tomado outro navio da nossa Companhia, e feito, nos que iam nele, grandes pesquisas por nós.³⁰

As "grandes pesquisas" seriam perguntas sobre a existência de ouro e bens em Santos. O saque dessas riquezas, segundo os relatos ingleses, foi efetuado sem batalha. Mas, de acordo com os depoimentos dos padres jesuítas, os únicos contemporâneos a escreverem sobre o episódio, durante a pilhagem os "hereges luteranos" aterrorizaram a população e o clero ao saquearem casas e igrejas em Santos e São Vicente, profanando objetos sagrados para os habitantes da colônia, como relata o padre Beliarte:

> Depois do qual deram na capitania de São Vicente, que é a última da banda do sul, e, tomando-a de improviso, a entraram, e queimando uma vila toda e parte de outra, fazendo grandes desacatos às imagens, templos, relíquias etc. Os nossos, contudo, tiveram algum tempo para se acolherem, consumindo primeiro o Santíssimo Sacramento, e levando a prata e alguns ornamentos. Depois de haverem estado os ingleses quarenta dias senhores da terra, e feito muitos insultos, se partiram com intento, segundo cremos, de passar o estreito de Magalhães e dar no Peru. Toda a nossa pobreza roubaram e desejaram bem e procuraram haver os nossos às mãos. Entraram a 26 de dezembro e foram a 3 de fevereiro de 1592. E porque aquela terra ficou sem defesa alguma, por lhe haverem eles levado toda a artilharia, com intento de fazerem ali sempre escala e fornecerem-se de bastimentos, ordenei aos nossos que enquanto El-Rei ou os seus Governadores não a proveem, não tenham ali mais fato [roupas, bens] que o que, em os ingleses entrando, se possa logo levar e passar à serra, em terra firme, onde tudo é seguro.[31]

Um ano depois de seu duplo encontro com os ingleses, o padre Marçal Beliarte, durante viagem marítima no litoral do Brasil, seria novamente vítima de corsários, sendo dessa vez aprisionado. Como conta em uma carta José de Anchieta, ao encontro de quem se dirigia quando foi interceptado pelos "luteranos": "O padre Marçal Beliarte, provincial, me enviou a estas capitanias do Rio de Janeiro e São Vicente a visitar; detive-me nelas o tempo que me pareceu necessário, porque o padre provincial, por ser tomado dos franceses, não pôde acudir a tempo".[32]

Quando escreveu essa carta, Anchieta tinha há pouco escapado de cair prisioneiro de ingleses durante uma viagem de canoa de Santos para o Rio de Janeiro. As costas do Brasil estavam infestadas de inimigos da Santa Fé católica e de Filipe II, e os jesuítas em suas andanças entre as capitanias, como vimos, eram presa constante.

Cair nas mãos de corsários ingleses e franceses, então apodados de "hereges e luteranos, ministros das trevas licenciosos",[33] era temerário e invariavelmente fatal. Aos olhos dos padres católicos, ingleses e franceses eram como uma encarnação do mal. Particularmente ilustrativa desses sucessos é a narrativa da morte do jesuíta Lourenço Cardim a bordo de uma nau do Brasil:

> E como na viagem, os hereges corsários acometessem o navio, Lourenço Cardim, cheio de fervoroso espírito, com um crucifixo nas mãos animava os que pelejavam contra os inimigos da nossa Santa Fé, consolando os que saíam feridos e confessando os que morriam, até que passado com uma bala, abraçado com o santo crucifixo, entre os abraços de seu Senhor, Lhe entregou ditosamente a alma.[34]

Outro testemunho português sobre a tomada de Santos pelos ingleses é uma carta de maio de 1592 do padre jesuíta Inácio Tolosa, que avaliou em mais de 100 mil cruzados o valor total do saque e do prejuízo, mas que estimava em muito mais vultosa a perda infligida ao patrimônio histórico e simbólico da capitania de São Vicente.

> A nós [jesuítas] também nos coube parte da perda, porque, ainda que os padres puseram algumas coisas a salvo, não pôde ser tudo. Desampararam a casa; e nela se alojou o general [Cavendish], tomando a capela-mor e a sacristia para seus aposentos. Mas nenhuma perda sentimos tanto quanto a ca-

beça das Onze Mil Virgens. Como estava bem ornada, apanharam-na e nunca se soube dela. Imaginamos que aqueles malditos ingleses a atirariam ao mar.[35]

As cabeças das 11 mil virgens,[36] padroeiras das províncias do Brasil, relíquias veneradas na colônia, vinham de Portugal e eram recebidas com faustosas festas e procissões. A relíquia destruída pelos homens de Cavendish havia chegado a São Vicente em 1577 numa grande cerimônia. Anchieta menciona em um poema a virtude dessas relíquias de combater os pecados dos moradores e, ironicamente, de fazer cessar "os muitos reveses com que os hereges franceses nos poderão apertar e luteranos ingleses".[37] Eram populares na colônia as trovas de Anchieta escritas por ocasião do recebimento de uma das cabeças das 11 mil virgens mandadas à colônia: "cordeirinha linda,/ como folga o povo/ porque vossa vinda/ lhe dá lume novo!".[38] A profanação inglesa em São Vicente tinha antecedentes. Outra cabeça das 11 mil virgens havia sido vítima de corsários, dessa vez franceses, que atacaram em 1570 uma nau em que ia um grande grupo de jesuítas que acompanhava a relíquia. O padre Simão de Vasconcellos conta que os hereges passaram os padres primeiro a punhaladas e depois os lançaram, meio vivos, ao mar, entregando-os às "ondas vorazes", para onde também atiraram a santa cabeça.[39] Era esse o imaginário que cercava as "ofensas" cometidas pelos homens de Cavendish. Tratava-se de uma guerra de motivação geopolítica — entre os inimigos da Espanha e o rei Filipe II — e de forte cariz religioso.

Lançar ao mar uma imagem católica era, na verdade, um *topos*, um lugar-comum nas narrativas religiosas sobre os ataques de hereges iconoclastas, um componente narrativo indispensável a esse tipo de relato. Tanto é que, séculos depois do ataque a Santos, frei Gaspar da Madre de Deus em seu ufanista *Memórias para a capita-*

nia de São Vicente, hoje chamada de São Paulo, publicado em 1792, acrescenta um ponto ao conto e mais uma imagem, desta vez de Santa Catarina, arremessada ao mar pelos ingleses de Cavendish. Escreveu o compungido padre em meio à sua narração edificante da história da capitania:

> Os ingleses, quando roubaram a vila do porto de Santos, lançaram no mar a dita imagem, a qual é de barro, e depois de muitos anos veio a terra casualmente, extraída pelos escravos dos jesuítas em uma rede, com que estavam pescando [...], ainda conserva a sagrada imagem algumas cascas de ostras, que nela se geraram, quando esteve o mar, e admira a circunstância de a não terem despedaçado aqueles iconoclastas, costumando eles dilacerar as imagens dos santos.[40]

Nesta nova versão da história, escrita duzentos anos depois dos fatos, mesmo a longa estadia da frota de Cavendish em Santos é rasurada para dar lugar à bravura da população, idealmente pronta para resistir:

> a Vila de São Vicente desde o seu princípio até agora nunca foi acometida, nem por índios, nem por europeus, exceto no ano de 1592 por ingleses piratas, que lhe deram um assalto repentino, e depois de a roubarem aceleradamente, e largarem fogo à Cadeia e a outros edifícios, tornaram para os seus navios, temerosos de que lhes disputassem a retirada os moradores, os quais se achavam fora da vila nas suas fazendas e já vinham correndo.[41]

O fogo na cadeia e em outros edifícios de São Vicente, queimados até o chão segundo John Jane, é atestado por um documento do cartório da vila, décadas mais tarde, no qual se registra que o testamento de Margarida Domingues, falecida em 1588, se queimara com o cartório de São Vicente e que a "fazenda da dita defunta levaram os ditos ingleses, quando vieram saquear esta vila e não havia notícia dela". Ou seja, para a infelicidade dos herdeiros de d. Margarida, não havia testamento e muito menos "fazenda" (bens), graças às ações da frota de Cavendish.[42]

Os "hereges, luteranos, destruidores de santas relíquias", saquearam Santos e queimaram a vizinha vila de São Vicente, mas pouparam sua população, que, segundo narram os ingleses, fugiu para o interior e não empreendeu contra-ataque algum durante os meses de ocupação. A fama do vandalismo dos mosqueteiros de Cavendish chegou à América espanhola, sendo cantada no poema épico do padre Martin del Barco Centenera, "La Argentina y Conquista del Río de la Plata", em que o clérigo descreve em tintas carregadas e romanescas a "toma y robo del puerto de Santos y San Vicente y de los insultos y maldades que allí hizo el Capitan Tomas Candish":

> Entrando [na igreja de Santos], matar querem ali ao vicário,/ e a um frade, caso horrendo e detestável que o templo profanando, os temerários,/ imagens, relíquias de consolo,/ com irrisão jogavam ao solo.// Prenderam os principais, demudando/ a todos quanto pôde naquele fito,/ as casas pelo solo derrubando,/ as tábuas, e madeira e paus tira:/ e logo pela terra caminhando, em São Vicente entram, dando grita;/ assolam-na também em um momento./ E nisto entra Candish em grão contentamento.[43]

Os relatos ingleses confirmam o que diz Centenera. Thomas Cavendish só chegou a Santos um dia — segundo Knivet — ou uma semana — de acordo com Jane — depois do assalto. Desembarcou com duzentos homens, e logo "ordenou que queimassem toda a parte de fora da vila [...] e que ateassem fogo a todos os navios ancorados no porto".⁴⁴ Seus homens tomaram a cidade já esvaziada e se instalaram nas casas dos moradores. Os capitães e os jovens fidalgos se hospedaram no colégio dos jesuítas, cujos fundos davam agradavelmente para a praia e onde os mosqueteiros puderam escolher as celas que mais lhes agradassem. Anthony Knivet, um desses jovens fidalgos, tratou de, por conta própria e sorrateiramente, saquear as habitações jesuíticas, onde encontrou um butim que perderia no decorrer de suas aventuras:

> Aconteceu-me, ao percorrer cela por cela, de olhar embaixo de uma cama numa cela escura, e lá encontrar uma pequena caixa firmemente pregada, cujas bordas estavam brancas de farinha de trigo. Retirei-a e, percebendo como era pesada, arrebentei-a, aí encontrando 1.700 reais de oito, cada um valendo quatro xelins. Alojei-me nesse pequeno quarto sem que ninguém soubesse de meus grandes ganhos: lençóis, camisas, cobertas e camas e muitas coisas que ninguém viu.⁴⁵

Os dias nada pacatos de Cavendish em Santos

Hospedado na sacristia do colégio dos jesuítas, Thomas Cavendish recebeu visitas inesperadas que lhe fizeram compreender a complexidade das províncias do Brasil, equilibradas entre as ações de uma sociedade colonial emergente e as contra-ações das populações indígenas. Numa noite, quando Cavendish dormia em sua cama — na sacristia transformada em quarto —, dois índios conseguiram entrar por um dos corredores do convento que davam para a praia, situados nas costas do edifício, e acordaram o navegador inglês oferecendo galinhas e perus em sinal de amizade. Os presentes e a dupla de visitantes noturnos assustaram o comandante, que gritou por socorro. Um dos índios, entretanto, conseguiu explicar "que tinha vindo para implorar-lhe seu favor e não atacá-lo".[46]

Na manhã seguinte, em horário apropriado, foram recebidos por Cavendish e explicaram que tinham fugido dos portugueses, por quem eram maltratados, e, com o intuito de celebrar uma aliança com os ingleses, forneceram uma série de informações de interesse dos invasores. Os dois índios deram notícias sobre a localização e o estado do acampamento dos moradores expulsos de Santos, e ainda revelaram os planos dos portugueses de atacar Cavendish quando ele saísse da vila.[47] Indicaram também, para felicidade dos corsários, a localização de três grandes sacos de dinheiro e um pote "escondidos embaixo da raiz de uma figueira" e também os levaram até um campo onde havia trezentas cabeças de gado que, segundo Knivet, alimentaram a frota durante toda a temporada em Santos. Ainda de acordo com Knivet, este foi apenas o primeiro de uma série de grupos de "canibais que vieram até nós querendo que o capitão-mor destruísse os portugueses e tomasse a terra para si, dizendo-lhe que estavam todos a seu lado".[48]

O apoio dos índios à tomada de Santos e o papel que esperavam que os ingleses desempenhassem nos embates coloniais certamente devem ter surpreendido Cavendish em suas reuniões com vários grupos de índios sublevados e armados. A "guerra campal aos índios nomeados carijós" tornara-se uma política colonial na capitania de São Vicente desde 1585, quando Jerônimo Leitão, a pedido das câmaras de São Vicente, iniciou campanhas pelo sertão em busca de escravos.[49] Essas entradas se tornarão frequentes nos anos seguintes, dando início ao ciclo bandeirante da "caça ao índio" e acirrando a reação dos povos indígenas contra os colonos.[50] Meses antes da chegada de Thomas Cavendish a Santos, os tupiniquins do sertão, aliados a índios das aldeias cristãs, atacaram o povoado de Pinheiros, no planalto — na atual cidade de São Paulo —, onde, numa ação semelhante à dos corsários ingleses iconoclastas, teriam queimado a igreja e despedaçado a imagem de Nossa Senhora do Rosário.[51]

Eram essas as relações entre os colonos e os povos indígenas, e a chegada de uma frota inglesa acendeu nos índios escravizados e sublevados uma oportunidade de virar o jogo. Entretanto, nessas reuniões entre ingleses, carijós e tupiniquins, ficou claro para o comandante Cavendish quais eram as forças em jogo naquela terra e qual seria a dimensão do investimento necessário para participar da partida. Dessa forma, educadamente, o "capitão-mor agradeceu-lhes a todos por sua gentileza, mas disse-lhes que naquele momento tinha outros planos".[52]

Esses planos, ao que tudo indica, diziam respeito à corrida do ouro já em curso na região, empreendida pelas figuras proeminentes da elite colonial. Mais uma vez, foram os próprios índios que mostraram aos ingleses o que eles mais almejavam. Com a ajuda dos "canibais", Cavendish encontrou os depósitos de ouro da vila de Santos, ouro, como afirma Knivet, que os índios costumavam trazer "de um lugar chamado por eles de Mutinga, onde os portugueses agora têm minas".[53] Assim, as informações que os ingleses tinham sobre a região se confirmavam da maneira mais espetacular, e Cavendish abasteceu o *Leicester* não apenas com o açúcar saqueado dos armazéns e dos navios ancorados no porto, mas também com um carregamento do ouro da capitania de São Vicente.

Nem tudo, no entanto, se resumiu a rapinas e roubos durante a invasão inglesa em Santos. Enquanto Cavendish negociava com as lideranças indígenas, informava-se sobre a região e saqueava o ouro escondido na vila, outros membros da frota passavam o tempo em um sem-número de afazeres mais amenos.

O comandante John Davies, o então célebre explorador do Ártico, que descobriria as ilhas Falkland em agosto desse mesmo ano de 1592, empregou os dias livres em Santos para ocupar-se de uma atividade artística: a pintura. Do alto do morro onde se erguia a casa de Brás Cubas, o navegador inglês desenhou um panorama do local, talvez o primeiro dos panoramas do porto de Santos, como os quadros a óleo de Benedito Calixto, de meados do século XIX, com vista do alto da ilha de Brás Cubas e do morro do Pacheco. A pintura era uma ocupação comum aos navegadores ingleses. O próprio Francis Drake, em sua viagem de circum-navegação, ao mesmo tempo que atacava e saqueava naus e cidades costeiras da América espanhola, pintava paisagens, "pássaros, árvores e leões-marinhos", como relatou o piloto português Nuno da Silva, prisioneiro do corsário inglês: "Ele [Francis Drake] é um adepto da pintura e tem com ele um rapaz, um parente, que é um grande pintor. Quando os dois se trancam na sua cabine estão sempre pintando".[54]

Enquanto Davies pintava, outros se ocupavam de literatura. O poeta e soldado Thomas Lodge, autor de várias obras, entre poesia, panfletos e peças de teatro — como o então famoso romance pastoral *Rosalynde*, que inspirou Shakespeare a escrever *As you like it* —, instalou-se na biblioteca do convento dos jesuítas em Santos, onde estava hospedado. Lá, consultando os livros a seu bel-prazer, fez leituras importantes para as obras que escreveria no futuro, como contará num prólogo ao leitor: "Tive a sorte de encontrar na biblioteca dos jesuítas em Santos essa história na língua espanhola, que quando li me deleitou, e deleitando-me acabou por se assenhorear de mim, e assenhoreando-se de mim fez com que eu a escrevesse".[55] O misterioso livro em língua espanhola ou portuguesa que inspirou

Lodge nunca foi identificado, mas deu origem ao romance *A Margarite of America*, publicado em 1596. O romance, conta seu autor dramaticamente no prólogo, foi escrito em parte no Novo Mundo e durante uma viagem marítima para o estreito de Magalhães, "quando eu escrevia mais na esperança de os peixes comerem tanto a mim próprio escrevendo quanto aos meus papéis escritos do que ser conhecido pela fama".[56] Os peixes, contudo, não o comeram nem a seus papéis, e *A Margarite of America* chegou a fazer sucesso entre os leitores da época.

Thomas Lodge é responsável também pela sobrevivência da única relíquia concreta da viagem: o manuscrito jesuítico *Doutrina cristiana na língua brasílica*, catecismo usado para a conversão dos índios, escrito em três idiomas (tupi, latim e português), que o poeta roubou da biblioteca do convento de Santos, levou para a Inglaterra, enfrentando tempestades e naufrágios, e doou à biblioteca da Universidade de Oxford, onde se encontra hoje, em ótimo estado de conservação.[57] Durante o tempo em que estudou, leu e surrupiou livros na biblioteca dos jesuítas, Lodge fez amizade com José Adorno, senhor de engenho genovês e sogro do inglês John Whithall. Numa carta particular que escreve em 1609, Lodge registra as boas relações entre Adorno e os ocupantes ingleses da vila de Santos: "Um velho genovês da nobre casa dos Adorno, depois dos seus muitos e gentis favores para a expedição de Mr. Cavendish, estando eu para partir e pronto para dar a vela, disse-me: 'Adeus, meu filho, que Deus te reconduza a salvo à tua casa'",[58] relembrou Lodge, anos depois da temporada sul-americana.

Não deixa de ser curioso o fato de um membro da elite colonial como José Adorno ter mantido ótimas relações com os ingleses invasores, descritos em tão cruas linhas pelos jesuítas portugueses. De que lado estava José Adorno? Do lado dos colonos e moradores, da elite colonial de Santos, vila tomada e saqueada pelos ingleses?

Ou do lado dos invasores luteranos? Seu genro era um inglês que, dez anos antes, havia escrito cartas para a Inglaterra assegurando que tinha o apoio do sogro e dos governadores da região — Brás Cubas e Jerônimo Leitão — para iniciar uma linha comercial com a Inglaterra, a despeito da proibição do comércio entre a colônia e qualquer nau estrangeira. Também dá o que pensar o fato de os ingleses terem queimado São Vicente ao zarparem em direção ao estreito de Magalhães — o que aconteceu no dia 3 de fevereiro de 1592 — e não terem dado o mesmo destino a Santos.

A FRACASSADA PARTIDA RUMO AO PACÍFICO

O COMPORTAMENTO DOS HOMENS NÃO havia se amainado com a temporada santista e um espírito puramente pirata ainda animava os ânimos dos viajantes. "A balbúrdia dos homens na hora de embarcar era tanta que, se os portugueses tivessem um pouco de coragem, poderiam facilmente ter cortado nossas gargantas. Os dois índios que tinham entrado à noite no quarto do capitão-mor seguiram conosco para o estreito", relata Knivet.[59]

O fracasso da viagem, que intentava atingir o Oriente, se deu a caminho do estreito de Magalhães, para onde a frota se dirigiu durante a pior temporada para a navegação — mais um exemplo da falta de planejamento que parece ter guiado toda a viagem de Cavendish. Ainda em Santos, o comandante havia sido avisado por membros da tripulação de que deveria passar o inverno ali e não se aventurar a atravessar o estreito àquela altura do ano. Mas Cavendish não deu ouvidos a seus homens.

Foram quatro meses de navegação. As condições da viagem, ao longo do extremo sul do continente, se mostraram extremas. "Passamos, naquele momento, por reveses duríssimos, enfrentando tempestades monstruosas, com nevascas sem fim, e muitos de nossos homens morreram de frio e fome",[60] relata o agente comercial John Jane, que estava a bordo do *Desire*. Thomas Cavendish, em sua carta-testamento, escreve:

> O mês de maio finalmente chegou, mas não tivemos nada além de miseráveis nevascas e geadas tão rigorosas que em toda a minha vida não vi nada que se compare. Esses extremos fizeram com que os homens doentes piorassem; em sete ou oito dias, nessas terríveis condições, morreram quarenta homens, e setenta ficaram doentes, de forma que não restaram mais do que cinquenta homens capazes de manter-se em pé sobre o convés.[61]

A tentativa de travessia do estreito foi dramática, mas ganha tintas humorísticas na pena de Anthony Knivet:

> Deste ponto penetramos ainda mais no estreito, apesar do vento contrário e do frio que matou oito ou nove homens de nosso navio. Nesse lugar um ourives chamado Harris perdeu o nariz; quando tentou assoá-lo, ele acabou caindo de seus dedos no fogo. Isto John Chambers, Cesar Ricasen e muitos outros que agora estão na Inglaterra podem confirmar.[62]

Thomas Cavendish, como era do conhecimento de seus subordinados e colegas, procedia sempre da mesma forma, objetiva e cruel, com os homens doentes de suas tripulações. John Jane relata: grande parte dos doentes "foram impiedosamente deixados na costa, na floresta, expostos à neve, ao vento e ao frio, em condições em que mesmo homens saudáveis dificilmente teriam resistido, e onde terminaram seus dias miseravelmente".⁶³ O próprio Anthony Knivet foi abandonado, mais tarde, na ilha de São Sebastião, ao lado de companheiros moribundos. O comandante não achava conveniente gastar as escassas provisões com homens doentes. Nessa situação extrema, à beira da ruína, Cavendish "achou melhor retornar à costa do Brasil e lá dividir nossa frota entre os portos de Santos, Rio de Janeiro e Espírito Santo. Ele pretendia com isso não só se reabastecer de cordas, velas e comida a preços que estava certo conseguir, mas também tomar Santos novamente".⁶⁴

Na viagem de retorno, do estreito para Santos, a frota se dispersou, dois navios perderam-se em tempestades e o *Desire*, comandado por John Davies, também se afastou da frota. De acordo com Knivet, Davies teria abandonado Cavendish e seguido de volta para o estreito, para tentar completar a travessia, e, segundo John Jane, o *Desire* se desgarrara durante uma tempestade.

O *Leicester*, manejado por um número pequeno de marinheiros e com a tripulação quase toda doente, se viu sozinho. O estado da tripulação era deplorável, como conta Anthony Knivet:

> Minhas roupas estavam em trapos, os dedos de meus pés cheios de vermes que (Deus é minha testemunha) se apinhavam sob a minha pele e a de muitos outros.⁶⁵ Estávamos completamente a sós em um único navio grande e não sabíamos o que fazer. No final decidimos rumar para Santos na esperança de lá encontrar o restante da nossa companhia.⁶⁶

Nesse momento, para os homens de Cavendish, a vila de Santos representava uma espécie de porto seguro, um território conhecido ao qual ansiavam voltar.

A volta de Cavendish a Santos era dada como certa pelos jesuítas. O padre Inácio de Tolosa, na carta em que relata as depredações dos ingleses, registra que a população de Santos já havia tomado providências defensivas prevendo um novo e iminente ataque dos corsários: os moradores de Santos "já não os temem, porque em todas as partes estão com cercas e postos em armas, esperando por eles". Toda a costa sudeste estava em alerta, segundo Tolosa: "especialmente os do Rio de Janeiro, que têm fama de grandes soldados. E o governador Salvador Correia [de Sá] é mui animoso e bom capitão".[67] Já o padre Marçal Beliarte não se mostrava tão otimista e escreve ao padre-geral em Lisboa, pedindo permissão para que os padres abandonem o convento de Santos em caso de novos assaltos, pois a vila não tinha "mais defesa contra os corsários que a que agora tem, e por ver quão arriscados estão ali os nossos".[68] O futuro de Santos, no temor dos jesuítas, parecia inglês.

Ao se aproximar da cidade, o galeão de Cavendish em nada se parecia com aquele que há pouco tempo saíra de lá carregado de ouro e açúcar. Estava sozinho, avariado, carente de comida e água, grande parte do carregamento havia se perdido durante as tempestades e sua tripulação estava miseravelmente doente e faminta, tornando inviável a retomada da vila. O *Leicester* ancorou em frente a um engenho de açúcar, na intenção de obter comida e água. Três capitães acompanhados por vinte soldados, entre eles um índio do Brasil incorporado à tripulação — um daqueles que surgiram no quarto de Cavendish em Santos —, embarcaram num bote improvisado, feito de madeira de caixotes de açúcar e barris, já que o navio tinha perdido todos os barcos auxiliares nas tempestades. O pequeno pelotão assaltou o engenho, capturando uma grande barcaça que carregaram com comida e mandaram para o *Leicester*, "o que foi mais bem-vindo do que se fosse ouro", relata Knivet.[69] Contrariando as ordens de Cavendish, que instruíra os homens a voltarem logo para o *Leicester*, o pelotão permaneceu em terra e passou três dias no engenho, mandando suprimentos pela barcaça. Numa manhã, finalmente, foram atacados pela gente da terra e massacrados.

Em sua carta-testamento escrita no meio do Atlântico, Thomas Cavendish relembra o episódio:

> Avistei um índio vindo em direção ao mar e se dirigindo ao navio; estávamos ansiosos por notícias [...] quando o vimos, percebemos que se tratava de nosso próprio índio, que tinha conseguido escapar, ferido em três lugares; ele nos contou que o resto de nossos homens tinha sido trucidado por trezentos índios e oitenta portugueses, que ao anoitecer caíram subitamente sobre eles. Então eu perguntei por que eles não tinham embarcado quando ordenei. O índio me respondeu que alguns não queriam vir, e o resto não fizera mais que comer galinhas e porcos, que tinham em abundância, e que eles não pretendiam de maneira alguma embarcar. Deixo que você julgue a minha dor naquele momento, privado de meus principais homens e do bote de que tanto precisava.[70]

Anthony Knivet é ainda mais dramático sobre a morte dos companheiros e transforma o índio aliado dos ingleses em um herói épico, personagem digno da *Ilíada*:

> No dia seguinte ao assassinato de nossos homens, nosso barco longo foi até a praia e trouxe-nos notícias de como o bote tinha sido destruído e todos os nossos homens mortos. Um dos índios de quem já falei tinha desembarcado com nossos homens e, quando estavam todos no auge da luta, conhecendo bem a região, fugiu, com uma flecha atravessada no pesco-

ço e outra que lhe entrava pela boca e saía pelas costas. Esse índio veio até nós agarrado num tronco e contou-nos que todos os nossos homens haviam sido mortos.[71]

Sem a barcaça e com 23 homens a menos, Cavendish resolveu rumar para a ilha de São Sebastião, sua velha conhecida, onde pretendia recompor as forças, a tripulação e o navio. Mas, antes de levantarem âncora, foram surpreendidos pela chegada do desgarrado *Roebuck* — com os mastros quebrados e em péssimo estado —, que tivera a mesma ideia de retornar a Santos e se aproximou da embocadura do rio Bertioga, onde estava o *Leicester*, dando tiros de canhão. Encorajados pela chegada inesperada do *Roebuck*, um navio muito mais leve e manobrável que o *Leicester*, os ingleses resolvem atacar, uma segunda vez, a vila de Santos. Entretanto, o *Leicester* encalhou e foi necessário desembarcar oitenta homens em um rio próximo para desencalhá-lo. Ali conseguiram abastecer o navio com amplas provisões de mandioca, bananas e abacaxis que encontraram nas imediações. Mas foram avistados pelos locais e atacados por seis canoas lotadas de portugueses e índios — a defesa santista da qual o padre Beliarte falara em sua carta. Os ingleses conseguiram, não sem esforço, afugentar os portugueses, mas viram-se obrigados a desistir de Santos e resolveram atacar outro porto do litoral.

Foi nesse momento que um português que estava a bordo do *Leicester* desde Cabo Frio, tendo sobrevivido ao desastre da viagem pelo estreito de Magalhães, sugeriu um novo destino, conforme relata Anthony Knivet em suas memórias:

> Vendo nosso fracasso, o português contou-nos de uma vila chamada Espírito Santo, disse-nos que poderíamos ir até a dita vila com nossos navios e que, sem nenhum risco, poderíamos assaltar muitos engenhos de açúcar e conseguir boa

provisão de gado. As palavras desse português nos fizeram desistir de nossa intenção de rumar para São Sebastião. Partimos então para o Espírito Santo.[72]

Em oito dias, os dois navios ingleses estavam na entrada do porto de Vitória. Como o canal era muito menos profundo do que o português havia garantido, o que impedia a navegação do pesado *Leicester*, Cavendish, acusando o português de traição, "sem nenhum julgamento, mandou enforcá-lo, o que foi feito imediatamente".[73] Tal era o espírito do comandante a essa altura da viagem e após perder vinte homens em Santos. Mas esse empecilho não impediu o ataque dos ingleses. A bordo de duas embarcações auxiliares, e comandados por um capitão e um tenente, 123 homens encaminharam-se para tomar a vila. Alguns desembarcaram em frente a um pequeno forte e afugentaram os portugueses que lá estavam.[74] A outra embarcação seguiu adiante, desembarcou numa praia, abaixo de uma pequena fortificação — no lugar onde mais tarde seria construído o forte São João —, e encontrou a resistência armada pela governadora d. Luísa Grimaldi e por seu cunhado Miguel de Azeredo. Nesse lugar, os soldados ingleses "tiveram suas vidas rapidamente abreviadas em uma luta muito violenta. Em resumo, perdemos oitenta homens naquele lugar e, dos quarenta que voltaram, não havia um sequer sem uma flecha ou duas em seu corpo, e muitos tinham cinco ou seis", relembra Knivet.[75] Nesse meio-tempo, o primeiro grupo de ingleses, que tinha se apoderado do primeiro forte, foi atacado por uma chuva de flechas e teve que fugir, voltando ao bote e partindo desordenadamente, deixando para trás companheiros que foram massacrados por portugueses e índios.

Em sua carta-testamento, Cavendish, pouco antes de morrer, não se sabe se por causas naturais ou por suas próprias mãos, descreve seu estado de espírito depois do fracasso de sua última incursão no litoral do Brasil. "Imagine a minha situação ao ver muitos dos meus melhores homens massacrados e ao descobrir que dispunha em meu navio de não mais que cinquenta homens sãos. Estava, pois, mais do que na hora de levantarmos âncora, e foi o que fizemos na manhã seguinte."[76]

A carta, juntamente com o *Leicester*, chegou à Inglaterra em março de 1593 e foi entregue a seu testamenteiro e amigo, Tristam Gorges. Não se sabe quantos homens chegaram ao final da viagem, mas entre eles estava o poeta Thomas Lodge e os manuscritos roubados do convento de Santos.

John Davies e o *Desire* chegaram às costas da Irlanda em julho de 1593, após empreenderem uma segunda tentativa, sem êxito, de atravessar o estreito, de onde foram "forçados por furiosos ventos a mais uma vez retornar".[77] Dos 75 homens que embarcaram no *Desire* em 1591, somente dezesseis voltaram. Davies foi imediatamente preso, por conta das acusações contidas na carta-testamento de Cavendish. Após se defender perante a Justiça, Davies deu seguimento a sua carreira, publicando o livro *The Seaman's Secrets* [Os segredos do marinheiro], em 1595, e em 1600 comandava um dos navios, ao lado de James Lancaster, na primeira frota armada pela Companhia das Índias Orientais, marco inicial do domínio inglês no oceano Índico. Santos tinha ficado para trás.

II. James Lancaster (1595)

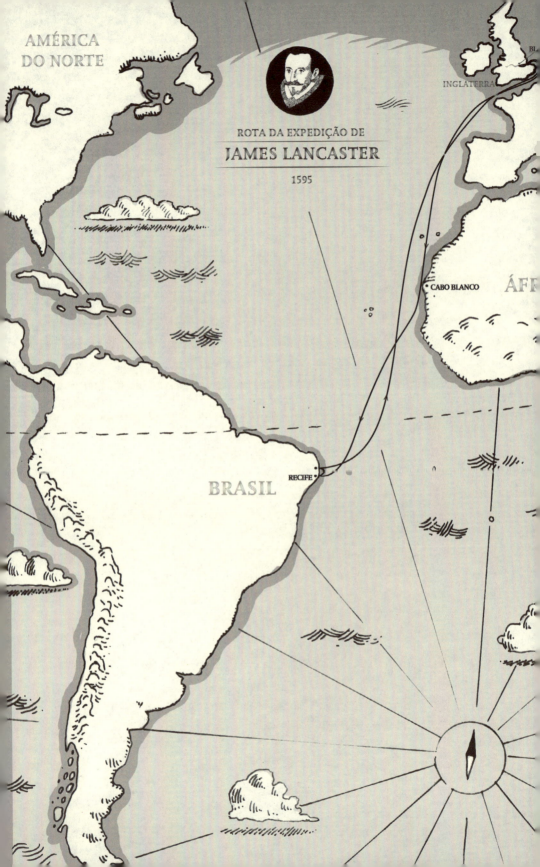

Uma expedição lucrativa

O ATAQUE PIRÁTICO DA FROTA comandada por James Lancaster (c.1555-1618) a Pernambuco, em 1595, foi tão espetacularmente rendoso que o relato da viagem, ao ser editado na coletânea *The Principal Navigations* [As principais navegações], em 1600 — uma ufanista coleção inglesa publicada no auge da hostilidade contra o Império do rei espanhol Filipe III —, é apresentado por um longo e triunfante título: *A bem-sucedida e próspera viagem de Mr. James Lancaster, iniciada com três navios e uma galeota em Londres, em outubro de 1594, com destino a Pernambuco [Fernambuck], vila portuária de Olinda, Brasil. Na qual viagem (além de ter capturado vinte e nove navios e fragatas), tomou de surpresa a dita vila portuária, mesmo sendo bem fortificada e guarnecida, e a ocupou por trinta dias (apesar dos muitos e ousados assaltos dos inimigos, tanto por terra quando por mar) e também derrotou seus perigosos e quase indefensáveis artifícios de fogo. Ali encontrou o rico carregamento de uma nau da Índia que, juntamente com grande abundância de açúcar, pau-brasil e algodão, trouxe consigo, carregando a bordo de quinze navios e barcas.*[1]

Há outro testemunho inglês sobre a viagem, igualmente grandiloquente, um panfleto publicado em outubro de 1595, em Londres, poucos meses após o retorno de Lancaster à Inglaterra. Escrito pelo poeta profissional Henry Roberts, que já havia cantado em versos laudatórios os feitos marítimos de Francis Drake e William Hawkins contra os territórios espanhóis no Novo Mundo, o panfleto *Lancaster his Allarums*[2] narra em tons heroicos as ações militares da frota de Lancaster e o saque de *Fernand Bucke* (Pernambuco). A guerra entre Inglaterra e Espanha acontecia não apenas nos mares, mas também na propaganda, difundindo através de livros impressos, como o folheto sobre *Fernand Bucke*, as vitórias dos ingleses, "em honra de seu país e da Rainha, sobre os covardes portugueses"[3] "e nossos inimigos os espanhóis".[4]

O completo sucesso da viagem a Pernambuco — do ponto de vista inglês — garantiu enormes ganhos aos investidores, calculados em 50 mil libras pelos ingleses e em mais de 2 milhões em ouro pelos embaixadores de Veneza em Madri.[5] A tomada do porto sul-americano foi decisiva na carreira do navegador e mercador James Lancaster, que viria a ser conhecido na história da Inglaterra não como o autor do superlativo saque de Pernambuco, mas como o fundador do comércio inglês com o Oriente e figura-chave na formação do Império Britânico na Índia.

Ocidente ou Oriente?

ANTES DE ATACAR E SAQUEAR o Recife, então uma pequena povoação portuária aos pés de Olinda, uma das vilas mais prósperas e ricas da colônia, Lancaster havia comandado a primeira viagem marítima inglesa ao Índico pelo cabo da Boa Esperança, atingindo a Malásia, entre 1591 e 1594. Apesar de desastrosa e malsucedida financeiramente, a expedição teve o mérito de abrir caminho para os navios elisabetanos, iniciando uma rota de navegação até então desconhecida dos ingleses, e de conferir *in loco* a fragilidade do domínio português na região. Lancaster, como pioneiro nas rotas marítimas antes exclusivas de portugueses, recolheu informações que permitiriam a seus compatriotas, num futuro próximo, derrotar a hegemonia portuguesa naquele até então remoto e inatingível pedaço do globo, miticamente nomeado nos documentos quinhentistas ingleses de "Spice Islands", de onde vinham as mercadorias mais valiosas para a economia daquele período.

Lancaster fez mais uma série de históricas e decisivas viagens ao Oriente, estabelecendo o primeiro entreposto comercial inglês na região, em Bantam, na ilha de Java, e fundando, ao lado de outros prósperos mercadores, a Companhia das Índias Orientais inglesa. Pernambuco foi, portanto, uma viagem singular na carreira desse homem cujos olhos estavam, assim como os de seus contemporâneos portugueses e ingleses, nas ricas e valorizadas mercadorias do Oriente.

Em outubro de 1594, cinco meses depois de voltar de sua malsucedida e atribulada primeira viagem à Índia, na qual quase todos os navios se perderam em naufrágios e ele mesmo foi abandonado pela tripulação amotinada na ilha de Mona, no Caribe, tendo voltado para a Europa em um navio francês que o resgatou, Lancaster empenhou-se em outra empresa ultramarina de longa distância, desta vez para as Índias Ocidentais. Associado a um grupo de mercadores ingleses, "veneráveis senhores da cidade de Londres"[6] e futuros fundadores da Companhia das Índias Orientais, liderou uma nova expedição ultramarina com destino a *Fernambuck*.

Os mercadores ingleses, há anos proibidos de comerciar em portos e vilas das possessões de Filipe II, e sem acesso aos produtos que antes negociavam nos portos de Portugal e da Espanha, abriam à força os caminhos para seus negócios ultramarinos nas rotas comerciais monopolizadas pela Coroa ibérica. Cada vez mais empenhados em operações de corso, atacando e saqueando navios portugueses e espanhóis no litoral europeu e no Caribe, eventualmente pensaram no Atlântico Sul como meta, ou seja, em buscar diretamente no mercado produtor algumas das *commodities* que interceptavam, tais como açúcar e pau-brasil. Essa ideia já tinha sido posta em prática pelo menos uma vez, em 1587, quando uma frota armada pelo conde de Cumberland acossou por duas semanas os engenhos do recôncavo e a vila de Salvador, na Bahia, aterrorizando a população e angariando grande butim.

  Desta vez, em 1595, a companhia comandada por Lancaster e formada por eminentes mercadores londrinos, entre eles John Watts, vereador e futuro prefeito de Londres, e Paul Bayning, também membro da câmara da cidade, escolheu a longínqua e remota mas não desconhecida capitania de Pernambuco como alvo. A capitania já estava nos planos de Lancaster fazia algum tempo: em sua primeira viagem ao Oriente, o comandante havia tentado seguir para Pernambuco, durante o percurso de volta para a Inglaterra, mas sua tripulação, doente e amotinada, recusou-se a atender seu desejo. Isso indica que Lancaster tinha informações seguras sobre o local e avaliava positivamente as chances de uma incursão militar de assalto e saque naquelas paragens.

  Havia, na verdade, certa familiaridade entre os navegadores ingleses e a longínqua capitania brasileira. Desde 1580, as naus que saíam regularmente de Pernambuco com destino a Lisboa e seus ricos carregamentos de açúcar, a mercadoria mais valorizada das Índias Ocidentais, caíam frequentemente nas mãos dos corsários ingleses. Os *Brazilmen*, como costumavam ser chamados esses navios, eram uma das presas mais comuns no Atlântico Norte. Somente nos três anos seguintes à derrota da Invencível Armada espanhola pelos ingleses, em 1588, 34 dessas naus foram capturadas pelos navios elisabetanos, e alguns de seus pilotos e oficiais foram expatriados, com suas cargas, e interrogados pelas autoridades inglesas, fornecendo amplas informações sobre a navegação, os portos e a condição das vilas litorâneas do Brasil. Os manuscritos portugueses e espanhóis apreendidos nessas naus eram tão preciosos quanto suas mercadorias. Um deles, de autoria do mercador português Lopes Vaz, veio a ser publicado em inglês e enfatizava as qualidades da rica vila de Olinda: "Pernambuco é a mais importante cidade de toda aquela costa, e tem cerca de três mil casas, com setenta engenhos de açúcar, um grande estoque de pau-brasil e abundância de algodão".[7] Como observou o historiador K. R. Andrews, Pernambuco era um macio e suculento pedaço do Império de Filipe II e um alvo evidente para os magnatas comerciais, cujos lucros foram diminuídos com a guerra entre Espanha e Inglaterra.[8]

A pequena Lisboa era desprotegida

SE O PORTO DO RECIFE era o maior exportador de açúcar, Olinda ostentava um estilo de vida luxuoso, que impressionara o jesuíta português Fernão Cardim durante sua viagem por várias capitanias, em 1584. Cardim surpreendeu-se com "as fazendas maiores e mais ricas que as da Bahia, os banquetes de extraordinárias iguarias, os leitos de damasco carmesim, franjados de ouro e as ricas colchas da

Índia". Em Olinda conviveu com senhores de engenho "vestidos de veludo e damasco de várias cores, que bebem a cada ano 50 mil cruzados de vinhos de Portugal", e foi ali apresentado a chefes indígenas vestidos de "damasco com passamanes de ouro".[9] Tais extravagâncias coloniais levaram o jesuíta a resumir suas impressões numa frase antológica: "Enfim, em Pernambuco acha-se mais vaidade que em Lisboa".[10] Olinda era de fato uma pequena Lisboa, então com "casas de pedra e cal, vários edifícios públicos, principalmente igrejas e conventos", entre os quais se sobressaía, "primando pela magnificência da sua construção, o colégio dos jesuítas, onde se ensinavam humanidades e belas-letras".[11]

A próspera capitania de Pernambuco, entretanto, não contava com meios eficazes de defesa, fortificações sólidas, companhias militares organizadas ou qualquer outro meio de proteção além dos arrecifes que dificultavam a entrada em seu porto. Cristóvão de Barros, dinâmico e empreendedor funcionário da Coroa, escreveu uma carta ao rei, em 18 de novembro de 1578, advertindo sobre "alguns inconvenientes que não fazem o bem da sua fazenda", e entre eles apontava a ausência de uma fortaleza para a defesa do porto do Recife. Segundo a relação de Ambrósio de Siqueira sobre a receita e a despesa do estado do Brasil, antes do assalto de James Lancaster a mais sólida construção do Recife era "uma casa terreira sem taipas, que servia de cobrir as peças de artilharia que o senhor da terra tinha ali plantadas".[12] Foi somente após a lucrativa visita de Lancaster que se organizaram duas companhias armadas para a defesa da região, cada uma delas com 220 mosqueteiros e arcabuzeiros, uma sediada em Olinda, outra no porto.[13]

Os "magnatas" e mercadores londrinos tiveram extremo cuidado ao compor a tripulação da frota com destino à atraente, opulenta e desprotegida capitania pernambucana. Contrataram para a tripulação "homens de sua própria categoria, e não nobres",[14] opção oposta à de Thomas Cavendish em sua desastrosa viagem ao Brasil. Edmund Barker, amigo pessoal de Lancaster, veterano da viagem ao Oriente e seu companheiro de infortúnio na ilha de Mona, no Caribe, ia novamente como vice-almirante, e John Audley, que viajara com Drake e já estivera em São Vicente, foi nomeado contra-almirante. Iam a bordo dois franceses de Dieppe, que falavam perfeitamente o tupi, e também se juntaria à frota o capitão Randolf Cotton, que estivera no Brasil com Cavendish no comando da *Dainty*. Provavelmente, os pilotos empregados na viagem eram experientes na navegação da costa brasileira, já que manobraram e entraram no perigoso porto do Recife sem dificuldades. Há indícios de que um deles seria Nuno da Silva, piloto português responsável pelo êxito da circum-navegação de Drake, e na época radicado em Plymouth.[15] O experiente James Lancaster, parceiro de negócios dos magnatas londrinos, foi eleito almirante da expedição.

UM INGLÊS QUE CONHECIA OS PORTUGUESES

JAMES LANCASTER ERA EXPERIENTE NÃO somente em navegação e comércio, mas também em assuntos relativos a Portugal. Isso se explica por uma peculiaridade da biografia do navegador inglês. Nascido em Basingstoke, no condado de Hampshire, Lancaster passou a infância e parte da vida adulta em Portugal, provavelmente no núcleo de mercadores ingleses radicados em Lisboa, integrantes da Spanish Company, firma comercial inglesa que atuava na península antes da irrupção da guerra anglo-ibérica. Como ele mesmo conta, "fui criado entre essa gente, e vivi entre eles como cavalheiro, servi ao lado deles como soldado, e estive estabelecido entre eles como mercador".[16] Não é casual o fato de o primeiro inglês a comandar uma frota para a Índia ter passado parte da vida em Portugal, entre a gente da corte e no intenso mercado globalizado que ligava Europa, África, América do Sul e Oriente. A referência a sua atuação como soldado talvez indique que ele tenha se alistado nas tropas dos portugueses partidários de d. Antônio, o prior do Crato, pretendente ao trono de Portugal. D. Antônio, após perder a decisiva batalha de Alcântara para Filipe II, foi apoiado pela Inglaterra de Elisabeth I, onde se radicou durante alguns anos e de onde organizou, com apoio dos ingleses e sem êxito, ações militares em solo português e nos Açores com o objetivo de conquistar a coroa de Portugal.

Lancaster voltou à Inglaterra logo depois do início do conflito entre Espanha e Inglaterra, em 1585, ano em que Filipe II confiscou todas as propriedades e bens de ingleses radicados na península. Tendo perdido tudo, o cavalheiro e mercador inglês voltou para sua terra natal e, em 1587, começou uma nova carreira, a de corsário. No comando de um navio da frota comandada por Francis Drake e armada pela própria rainha, participa do ataque ao porto espanhol de Cádiz, provocando prejuízos à armada espanhola, que se reunia na região preparando-se para invadir a Inglaterra. Em 1588, Lancaster está no comando do galeão *Edward Bonnaventure*, combatendo e vencendo a Invencível Armada de Filipe II. No ano seguinte, parte para Portugal na frota liderada por Francis Drake, na qual viajava d. Antônio, pretendente ao trono de Portugal, com o objetivo de invadir o reino. Os ingleses tomam facilmente a cidade de Torres Vedras, saqueiam vilas do Algarve e chegam a Lisboa, onde são rechaçados.

O historiador inglês Robert Southey, em sua *História do Brasil*, avalia que o ataque de Lancaster a Pernambuco seria uma "traição moral"[17] do navegador ao país que o acolheu por tanto tempo, opinião repetida, quase com as mesmas palavras, por grande parte da historiografia luso-brasileira. Entretanto, depois das grandes perdas financeiras sofridas em Lisboa, ao ter seu patrimônio apreendido e seu meio de vida subtraído, o que movia o navegador-mercador era não apenas um patriotismo genérico, mas também um ressentimento pessoal.

Sua má opinião sobre os portugueses é expressa com todas as letras em um dos episódios da invasão inglesa de Pernambuco. Diante do espanto de sua tripulação por ter se recusado a negociar com portugueses de Olinda, Lancaster faz um veemente discurso sobre o caráter do povo com o qual conviveu durante tanto tempo e que lhe confiscou os bens:

> Senhores, conheço algo das suas maneiras e da sua natureza. Sei que quando não conseguem vencer pela força da espada, então empregam suas falas enganosas, pois não têm nenhuma fé nem lealdade, e não as usarão a não ser para proveito próprio. Por isso lhes aviso que fiquem alertas, se lhes derem conversa eles nos trairão. No que me diz respeito, me pesaria muito ser enganado por essa gente ou pelos espanhóis do que por qualquer outra nação do mundo. E estou contente por ter a fortuna de usar com eles de um dos enganos que costumam empregar, pois vos garanto que eles me entendem mais do que podeis imaginar.[18]

Foi nesse contexto, político e pessoal, que Lancaster partiu da Inglaterra com o objetivo de saquear o porto de Olinda, a futura cidade do Recife, então apenas uma pequena povoação portuária adjacente à principal vila da capitania. A frota de três navios — o *Consent*, o *Salomon* e o *Virgin* —, comandada por Lancaster, com um contingente de 275 tripulantes, saiu de Blackwall, perto de Londres, em outubro de 1594, "abastecida de todo o necessário". Logo no início da viagem, ainda na costa da Inglaterra, o *Consent* perdeu de vista os outros dois navios e seguiu para a ilha de Tenerife, nas Canárias, um dos pontos de encontro combinados em caso de separação da frota. Lá, Lancaster captura duas naus portuguesas carregadas de vinho. Seguindo viagem para Cabo Blanco, no norte da África, reencontram a *Virgin*, cujos homens informam que a *Salomon*, comandada por Barker, havia voltado para a Inglaterra com os mastros quebrados. Com apenas dois navios, a tripulação argumenta que dificilmente conseguiria tomar o porto de Pernambuco, e sugere que eles deveriam seguir para o Caribe, onde poderiam mais facilmente atacar e saquear as vilas litorâneas. No entanto, Lancaster adverte que não seria inteligente alterar o curso da viagem sem antes procurar pela *Salomon* nos pontos de encontro combinados, "pois, a alteração de rotas é a ruína da maioria das nossas ações".[19] Em Cabo Blanco, de fato, encontram a *Salomon* e seu comandante.

Barker não só os estava esperando no ponto de encontro como já tinha atacado e "capturado dos portugueses e espanhóis 24 velas, entre caravelas e pesqueiros, dos quais retirara tudo o que precisava".[20] Lancaster incorporou quatro desses navios à sua frota, somando-se a um dos que havia tomado em Tenerife, com vistas a poder embarcar parte da mercadoria que pretendia saquear em Pernambuco. O feliz encontro com Barker e a *Salomon* não foi a única boa notícia que os esperava em Cabo Blanco. Ali, na costa da atual Mauritânia, Lancaster inteirou-se — conforme registra o autor anônimo do relato publicado em *The Principal Navigations* — de uma informação que aguçaria ainda mais seu apetite e sua determinação em rumar para o Recife:

> Nesse lugar, ele soube, por um dos pilotos desses navios, que um dos galeões que vinham das Índias Orientais naufragara em Pernambuco, tendo toda a sua mercadoria sido armazena-

da no Arrecife, que é a cidade baixa. Todos nos alegramos com estas notícias, e muito comemoramos, pois nossas esperanças eram as melhores tendo um tal butim diante de nós.[21]

Tratava-se da *São Pedro*, uma nau da carreira da Índia que se desgarrara da armada composta de cinco navios e viera encalhar na costa da capitania de Pernambuco, carregada das mercadorias que costumavam estar a bordo dessas enormes e superlotadas embarcações: especiarias, drogas, perfumes, preciosos tecidos indianos, tapetes, sedas, rubis, esmeraldas, diamantes, ouro e uma série de outros produtos orientais. Todo o carregamento da nau encalhada foi transportado para os armazéns do porto do Recife e, ciente disso, Filipe II fizera uma provisão em junho de 1595 para Manuel Mascarenhas Homem (capitão-mor da capitania de Pernambuco de 1596 a 1603) comandar uma frota de urcas com destino a Pernambuco, para resgatar e levar a Lisboa a rica carga — a essa altura, no entanto, os ingleses pouco haviam deixado nos armazéns do Recife. Outra nau dessa mesma armada da Índia, a *Cinco chagas*, também cruzou o caminho dos corsários ingleses e foi atacada, na altura dos Açores, pelo conde de Cumberland, naufragando sem que os corsários a pudessem capturar.

Capturar uma nau da Índia, as desejadas *Indiamen*, era infinitamente mais difícil do que tomar e saquear uma nau do Brasil. Durante todo o período do conflito entre Espanha e Inglaterra apenas três foram apreendidas pelos ingleses, uma delas por Francis Drake em sua viagem de circum-navegação, outra por Thomas Cavendish em 1587 e uma terceira em 1601. Pode-se avaliar a sorte de James Lancaster em ter providencialmente as mercadorias da *São Pedro* esperando por sua frota nos armazéns do Recife.

A felicidade da tripulação com essa notícia foi total, redobrando o ânimo de todos. Ao seguirem viagem, na ilha de Maio, no Cabo

Verde, onde pararam para fazer aguada e construir uma galeota que tinham trazido desmontada e que se destinava à abordagem do porto do Recife, encontraram o corsário Edward Fenner com sua *Peregrine* e mais três embarcações ibéricas capturadas, e também Martin Philiphs, comandante da *Welcome*, cuja frota contava com uma pinaça e um navio apreendido. Os corsários ingleses se juntaram a Lancaster e, civilizadamente, assinaram documentos estipulando a divisão do butim pernambucano em três quartos para a frota de Lancaster e um quarto para Fenner e Philiphs.

A EMOCIONANTE BATALHA DE OITENTA CONTRA MIL

DESSA FORMA, UMA FROTA DE pelo menos quinze embarcações zarpou em direção à capitania de Pernambuco em busca do açúcar do Recife e das mercadorias da nau da Índia. Ao chegarem diante do porto, por volta da meia-noite do dia 29 de março de 1595, numa Sexta-Feira Santa, Lancaster foi "de navio em navio, no seu bote, ordenando que preparassem todos os homens disponíveis, armados de mosquetes, piques, alabardas, arcos, flechas e qualquer outra arma que tivessem, a fim de acompanhá-lo".[22] O plano era atacar ao amanhecer e tomar de surpresa a vila do Recife e o fortim de São Jorge Velho, uma tosca construção militar.[23] A ação seria comandada pela galeota, liderada pelo próprio almirante, com oitenta de seus melhores homens de armas, e equipada com um bom canhão e dois canhonetes. Como reforço, seguiriam a galeota cinco das pequenas embarcações trazidas de Cabo Blanco. Um imprevisto, entretanto, fez com que o plano não corresse como esperado.

Ao alvorecer, percebeu-se que a frota tinha se afastado para o norte, e uma maré baixa a obrigou a vagar justamente em frente à vila, à vista de todos, até às duas horas da tarde, dando tempo para que os da terra organizassem uma resistência. Ao passarem em frente ao fortim, que estava equipado com sete canhões, houve troca de tiros com o galeão de Lancaster, mas a frota invasora não sofreu danos. A abordagem complicou-se ainda mais porque bem na entrada do porto estavam ancoradas três urcas holandesas, das quais Lancaster esperava uma reação negativa. Pensando na possibilidade de os holandeses serem hostis, o almirante havia planejado atacar as urcas com alguns de seus navios de apoio, o que não se mostrou necessário. Ao observarem a movimentação da frota inglesa, as urcas levantaram âncora e deixaram o caminho livre para a invasão. Os holandeses, não tendo oposto resistência à ação de Lancaster, terminariam por se associar aos ingleses, fretando seus navios para o transporte dos bens subtraídos dos armazéns do Recife.

Sem conseguir atacar na hora pretendida, a numerosa frota não teve outro remédio e foi forçada a permanecer à vista dos pernambucanos, causando, evidentemente, comoção entre o povo de Olinda. Por volta do meio-dia, o governador capitão loco tenente de Olinda, d. Felipe de Moura, enviou um emissário ao galeão de Lancaster para saber o que pretendiam os ingleses. O mensageiro voltou a terra com o recado de que o almirante "queria as mercadorias do galeão, e por causa delas tinha vindo, e as haveria de ter, como em breve iriam ver".[24] Em resposta, a resistência pernambucana se organizou "em três ou quatro tropas, estimadas em pelo menos seiscentos homens, que tomaram posição no forte, situado na entrada do porto, e lá esperaram o desembarque"[25] dos inimigos.

O desembarque dos oitenta corsários, soldados comandados pessoalmente por James Lancaster — a julgar pelos relatos ingleses, únicos testemunhos contemporâneos —, foi espetacular. Lancaster planejara lançar sua galeota violentamente contra a praia, bem aos pés do fortim, de forma que ela naufragasse. O que de fato aconteceu, permitindo que os oitenta soldados desembarcassem em velocidade e partissem para a conquista do fortim, contando "somente com Deus e com suas armas".[26] Às duas horas da tarde, 81 soldados ingleses, armados até os dentes e extremamente motivados, correram contra seiscentos (segundo o relato publicado em *The Principal Navigations*) ou mil (segundo o panfleto de Henry Roberts) soldados pernambucanos. Lancaster participara anos antes de ação semelhante, quando os homens da frota de Francis Drake tomaram a cidade de Torres Vedras, em Portugal, também num lance de ousadia militar. Mas a gente da terra certamente nunca vira algo semelhante e seu único contato mais intenso com ingleses havia ocorrido treze anos antes, quando o navio mercante *Merchant Royal* passou seis meses negociando pacificamente em Olinda.[27]

Na versão inglesa dos fatos, escrita por um dos homens presentes na ação, a descrição do desembarque dos soldados ingleses "bem na cara do fortim e dos canhões"[28] pernambucanos é vibrante:

> Quando nosso almirante pulou na água, sendo seguido pelo resto dos homens, logo vieram esses tiros de canhão. Mas, Deus todo poderoso seja louvado, os do forte, amedrontados com o nosso desembarque bem ali nas suas caras, miraram as bocas de seus canhões tão para baixo que atiraram todos os seus tiros na areia, embora, como eu disse antes, a distância entre o lugar onde desembarcamos e a face do forte fosse apenas um tiro de pedra. Desta forma, somente acertaram o tiro que arrancou o braço de um dos nossos, sem nos causar nenhum outro dano, o que foi para nós uma grande dádiva de Deus, pois se aqueles canhões estivessem bem posicionados, muitos de nós teriam perdido suas vidas naquele instante.

Nosso almirante, ao ver o que acontecia, gritou, encorajando seus homens: "Para cima deles! Para cima deles! Tudo (com a ajuda de Deus) é nosso".[29]

Em outra versão da história, mais heroica, a do panfleto de Henry Roberts, até são Jorge, patrono da Inglaterra, aparece para ajudar os compatriotas, numa fabulação histórica muito similar às narrativas medievais de batalhas de cristãos (sempre em número reduzido) contra muçulmanos (imensos exércitos), em que Jesus Cristo surge para o exército escolhido, que termina por ser milagrosamente o vencedor. Segundo a versão do panfleto, ao desembarcar com ímpeto deixando para trás a galeota despedaçada pelas ondas, Lancaster teria animado seus homens com as seguintes palavras: "Por são Jorge, bravos cavalheiros, tudo já é nosso!".[30]

E assim, com a invocação do santo padroeiro inglês, os pernambucanos fogem, salvando a si próprios, "alguns em barcos, outros competindo diante de nossos homens quem era o melhor corredor, voando tão rápido como uma lebre fugindo de um ávido galgo".[31]

A facilidade da tomada do fortim pelos ingleses suscitou, séculos depois dos eventos, inúmeras justificativas dos historiadores luso-brasileiros, entre as quais a precariedade militar dos homens e dos equipamentos coloniais. Nas *Memórias históricas da capitania de Pernambuco*, lemos que "os soldados pernambucanos, ainda maus artilheiros, erram os tiros, cedendo à disciplina inimiga e ainda mais à falta de munições",[32] e, na *Geografia pernambucana*, Sebastião de Vasconcellos Galvão registra que "os defensores, acovardando-se, à vista de tanta audácia, se retiraram em canoas, precipitadamente, para Olinda, pelo esteio dos rios Capibaribe e Beberibe".[33] Há ainda um testemunho contemporâneo do evento, uma carta do embaixador toscano em Madri, Francesco Guicciardini, de 10 de julho de 1595, que confirma a versão inglesa da invasão: "Sem resistência alguma desembarcaram em terra, tomando posse do forte e do porto".[34]

O autor do relato publicado em *The Principal Navigations*, um mosqueteiro que participou de todas as ações militares da invasão, não perde a oportunidade de destilar o seu humor inglês, ao narrar como os portugueses abandonaram o fortim e fugiram para a mata ao verem o ímpeto dos invasores:

> Aqueles quatro pelotões de homens que ali estavam para impedir o nosso desembarque, vendo a nossa resolução, começaram a recuar, e se retiraram para certos matos que ficavam ao lado do forte [...], e então abandonaram o forte, deixando para nós toda a artilharia que lá estava. Esse dia da nossa chegada era a Sexta-Feira da Paixão deles, quando essa gente tem o hábito se autoflagelar, mas Deus nos enviou como um flagelo geral para todos eles, pelo que os dispensamos de terem eles próprios esse trabalho.[35]

A religiosidade dos corsários também é alvo da crítica dos portugueses, séculos depois, nas *Memórias históricas da província de Pernambuco*: "Estes piratas ostentavam de religiosos e em seus discursos o nome de Deus era constantemente repetido, parecendo-lhes infalíveis os socorros da Providência para o bom êxito de uma empresa cujo único fim era roubar!".[36]

Eram os "hereges luteranos" ingleses contra os católicos de Pernambuco, que, não bastasse o poderoso ataque estrangeiro, enfrentavam dentro de casa as agruras do tribunal do Santo Ofício, instalado em Olinda desde 1594, fonte doméstica de terror em plena atuação persecutória. A chegada dos ingleses, inadvertidamente, afetou o destino de muitos moradores da capitania. O caso do professor e poeta Bento Teixeira, que tinha escola própria em Olinda, onde ensinava os meninos da cidade a ler e escrever, e também o latim e a doutrina cristã, é um bom exemplo. Quando os homens de Lancaster desembarcaram aos pés do frágil fortim, Bento Teixeira provavelmente estava escrevendo a *Prosopopeia*, poema épico dedicado ao donatário de Pernambuco, Jorge de Albuquerque Coelho, e centrado no elogio dos feitos heroicos da família dos donatários, os Coelho. Com a escrita desse poema, certamente esperava conseguir favores e mercês da elite colonial, de quem os homens de letras invariavelmente dependiam. Favores mais do que necessários, porque as coisas não caminhavam bem para Bento Teixeira. Homem de vida inconstante, mas versado em humanidades, havia pouco tempo antes matado a própria mulher, descrita em seus depoimentos ao Santo Ofício como adúltera contumaz. Não se sabe se ele a matou por ser adúltera ou por ela ter dito que estava esperando a chegada do inquisidor "para o fazer queimar",[37] tendo em vista as práticas judaizantes do marido — um dos principais focos de atenção do Santo Ofício. Para escapar da Inquisição e da pena pelo crime de assassinato, Bento Teixeira havia planejado fugir de Olinda com a ajuda de um amigo, um mercador espanhol chamado Juan Batista, que estava de partida para Tucumán, no Peru. Uma vez na América espanhola, tencionava mudar de nome para Júlio Batista, fingindo-se de sobrinho do mercador, e começar uma nova vida. A chegada inesperada dos corsários ingleses ao Recife impediu a viagem do mercador Juan Batista e consequentemente de Bento Teixeira, que foi denunciado, prestou uma série de depoimentos aos inquisidores em Olinda e, preso por possuir e ler livros proibidos, por traduzir a Bíblia para o vernáculo e por não trabalhar aos sábados, terminaria sendo mandado para o cárcere em Lisboa, onde morreria de forma misteriosa. Seu poemeto épico, em que louva o "garbo, o alto brio e o ânimo arriscado a conflitos temerosos da olindesa gente",[38] foi publicado em Lisboa em 1601, um ano após sua morte, nada tendo lhe valido para salvar sua pele.

Enquanto Bento Teixeira, o primeiro poeta "brasileiro" a ganhar a imprensa, vivia esses impasses, os corsários, tendo conquistado o fortim e tomado posse da artilharia ali deixada pelos pernambucanos, deram seguimento à invasão. Lancaster apontou os sete canhões de bronze do fortim em direção a Olinda, deu ordem para que os navios da frota entrassem no porto e marchou, com seus oitenta homens, para a "cidade baixa", o "Arrecife", uma vila de mais de cem casas e com armazéns abarrotados de mercadorias: "pau-brasil, açúcar, tecidos de algodão, pimenta, canela, cravo, mace, noz-moscada e diversas outras coisas boas, para o grande conforto de todos nós".[39] A população do Recife, em sua maioria pescadores que moravam em choupanas, se apressou em "embarcar em caravelas e botes", atravessando o Capibaribe e o Beberibe, em fuga, e assim os ingleses tomaram a vila portuária.

O Recife sob governo dos corsários

A debandada dos moradores do Recife, que abandonam suas casas e muitos de seus pertences, dará ensejo a uma série de eventos, dos quais conhecemos pelo menos um, de caráter fundiário, pedra fundamental do surgimento de uma nova povoação. De forma a atrair os fugitivos para sua fazenda, o senhor de engenho português Bento de Figueroa distribui terras a título de aforamento perpétuo, o que dará início à vila de Jaboatão dos Guararapes, "entre os rios Jaboatão e Una, uma aprazível povoação, que tal incremento teve, que em 1598, recebia os foros de paróquia sob o orago de santo Amaro, de cuja igreja matriz fora ainda ele o fundador".[40] Mas que poderia também invocar o apadrinhamento do corsário inglês, involuntariamente responsável pela sua fundação.

O que se seguiu após a tomada do Recife pelos soldados de Lancaster, a acreditar nos relatos ingleses, única fonte dos acontecimentos, foi uma bem planejada e eficaz estratégia de defesa do porto e dos navios ancorados, e uma racional organização do transporte das mercadorias dos armazéns do Recife. Nas palavras do autor das *Memórias históricas da província de Pernambuco*, "Lancaster, depois da vitória, mostrou tanta prudência, quanto tinha sido o valor que durante a ação apresentara; os seus soldados não cometeram nenhuma desordem pública nem roubo particular, jamais piratas se portaram com tanta ordem e sangue-frio".[41]

Nada de vandalismo ou de roubos desordenados, como ocorrera em Santos quando Thomas Cavendish e seus mosqueteiros aristocratas tomaram e ocuparam a cidade. Lancaster posicionou tropas comandadas pelos principais capitães no centro da vila do Recife e nas pontas sul e norte, armadas de "mosquetes providos com metralha"[42] (munição explosiva). Ordenou que a vila fosse cercada por paliçadas, de nove pés de altura, levantadas em dois dias pelos ingleses, que também construíram um fortim para onde levaram cinco dos canhões do forte conquistado aos pernambucanos. Montou-se um esquema de sentinelas, patrulhas de soldados armados em terra e ao longo do rio, além de mosqueteiros a bordo de seis botes no mar, montando guarda a cerca de uma milha dos navios, de forma a assegurar a posse da vila e do porto, e se defender dos possíveis ataques da cidade alta.

Olinda também tomou providências defensivas. Sem conseguir repelir a invasão inglesa por falta de homens experientes e de artilharia — segundo os historiadores luso-brasileiros —, convocou os moradores para se revezarem em turnos na vigilância da vila. Percebe-se a precariedade da defesa da "olindesa gente" nos depoimentos colhidos pelo Santo Ofício contra o escravo José, um caldeireiro de engenho blasfemo e indisciplinado. Na cadeia pública de Olinda, José tinha como companheiros de cela dois alfaiates estabelecidos na ladeira da Misericórdia, que depuseram contra o escravo. Gonçalo Dias e Lourenço Rodrigues se encontravam presos por não terem comparecido ao seu turno no serviço de sentinela[43], que, pelo visto, teve que empregar até os alfaiates. Outros documentos indicam que os homens convocados para a vigia eram remunerados e tinham os honorários pagos pelos "magnatas" de Olinda, compreensivelmente temerosos de uma investida de Lancaster contra a vila, "grande, rica e abundante em tudo",[44] menos em equipamentos e guarnições de defesa capazes de repelir o assalto da tropa inglesa. Um rico escrivão da Alfândega de Olinda, Antônio da Rocha, ofereceu 2,5 mil cruzados de seu patrimônio para o pagamento das sentinelas,[45] que, ao que parece, nem sempre estavam aptas para tal serviço, preferindo ir para cadeia a ter de enfrentar um ataque dos mosqueteiros ingleses instalados ao pé da gloriosa Olinda.

Enquanto isso, no "Arrecife", na cidade baixa, James Lancaster manda seu cirurgião, "que tinha crescido na Holanda e conhecia seus hábitos", visitar as urcas holandesas, que estavam ancoradas ali para o transporte de cargas e pessoas da capitania para Lisboa, prática comum naquele período, em que a frota portuguesa não supria a demanda de carregamentos transatlânticos da colônia. Após uma série de encontros e negociações, em que Lancaster lhes propôs o transporte de parte da mercadoria para a Inglaterra em seus navios, os holandeses "ficaram tão satisfeitos que aceitaram o frete, e então confraternizaram conosco, e nós com eles, e eles nos serviram verdadeira e lealmente como se fossem nossa própria gente, tanto em sentinelas e guardas quanto em outros tantos serviços no mar".[46]

Estavam agora os invasores ingleses e também os antes pacíficos navegadores holandeses juntos e organizados em torno do mais rico butim da história da navegação de corso da Inglaterra elisabetana. Mas o porto do Recife era uma festa, e os convidados ou penetras não paravam de chegar. Quatro dias depois da tomada do Recife, novos e inesperados companheiros se aproximam do porto e terminam por somar-se aos ingleses e aos holandeses numa verdadeira empresa multinacional. Eram três navios e duas pinaças francesas, comandadas por Jean Noyer (ou Jean Lenoir) e por um almirante de La Rochelle. Coincidentemente, quando Lancaster e Barker foram abandonados dois anos antes na ilha de Mona, no Caribe, pela tripulação amotinada, o responsável pelo resgate dos ingleses tinha sido exatamente Jean Noyer, que os levara em segurança até Dieppe, na França. O reencontro no Recife foi feliz. Como explica o mosqueteiro autor do relato da invasão, sobre os recém-chegados franceses, "eram navios de guerra e tinham vindo para traficar"[47] (fazer comércio). Lancaster recompensou seu amigo como pôde. Encheu as embarcações francesas de pau-brasil pernambucano e outros produtos brasileiros e, em retribuição, os franceses se juntaram às sentinelas que guardavam e vigiavam o rio à noite, "em botes com pelo menos doze homens a bordo e bem guarnecidos".[48]

Estando completamente seguros e fortificados, e depois de inventariar todas as mercadorias guardadas nos armazéns do Recife, deu-se início ao transporte das cargas para os navios. Primeiro foi necessário esvaziar as embarcações dos produtos que haviam trazido, especialmente o grande carregamento de vinho das Canárias, para tornar a carregá-las com as riquezas de Pernambuco. Os homens trabalhavam em turnos, dia e noite, sempre acompanhados de sentinelas armadas, de forma ordeira e organizada.

Não foi necessário mandar espiões para descobrir se os de Olinda planejavam atacar os navios ou as paliçadas inglesas. As informações dos planos inimigos vieram na forma de uma adesão inesperada. Índios escravizados residentes em Olinda apresentaram-se voluntariamente aos invasores, intencionando aderir ao partido dos estrangeiros, vistos então, como também aconteceu na tomada de Santos por Cavendish, como potenciais aliados da causa indígena contra os colonizadores. O mosqueteiro autor da narrativa publicada em *The Principal Navigations* registra que Lancaster resistiu a firmar a aliança, preferindo não se envolver na questão: "e embora muitos escravos fugissem de seus senhores para se juntar a nós, fornecendo-nos muitas informações sobre seus projetos e planos, o almirante ficou com apenas alguns deles".[49]

A política colonial em relação aos índios era francamente de extermínio e dominação. Tratava-se de expandir o território, empregado na monocultura da cana-de-açúcar, e igualmente propagar a fé católica, amansando e domesticando "a dura cerviz bárbara insolente", e para isso empregando "a espada lisa e fera e o braço invicto".[50] Como claramente escreve Bento Teixeira na sua *Prosopopeia* sobre o heroico extermínio dos índios pelos habitantes de Olinda, "os braços vigorosos e constantes [dos pernambucanos] fenderão peitos, abrirão costados, deixando mil membros palpitantes ao longo de caminhos, arraiais, campos juncados". Não bastando a forte imagem dos membros indígenas esquartejados, espalhados por toda a geografia colonial, Bento Teixeira resume o propósito final da empresa colonizadora: os índios "serão pelos novos Martes arrasados, sem ficar deles todos mais memória que a que eu fazendo vou em esta história".[51] O único traço que restará dos índios nesse projeto poético e civilizatório serão os versos cantando seu extermínio, seu "total exício",[52] como diz o poema.

É nesse contexto que os índios, "bárbaros cruéis", fogem dos "novos Martes"[53] e vão ao encontro dos "hereges luteranos" para contar o que se planejava em Olinda contra os invasores ingleses. É assim que Lancaster consegue prevenir a construção de uma grande trincheira, localizada bem próximo aos navios invasores, que os pernambucanos "sorrateiramente" erguiam e onde já tinham instalado um canhão. Avisados pelos índios fugidos, os ingleses marcham em direção à trincheira, atacam os pernambucanos e se apoderam dos equipamentos ali abandonados: "quatro bons canhões de bronze, pólvora e balas, e mais várias coisas úteis, entre elas cinco pequenas carroças da terra".[54] As carroças se mostrariam fundamentais para os corsários no transporte das cargas pesadas para os navios, que de outra forma não teriam como ser transportadas. Em lugar de animais de carga, as carroças foram puxadas por um grupo de quarenta portugueses, que chegaram ao porto do Recife, inadvertidamente, numa pequena nau mercante, acompanhados por sessenta escravos e dez mulheres. "As mulheres e os negros", conta o mosqueteiro autor do relato da invasão, "mandamos para fora da cidade, mas o almirante manteve os portugueses para puxarem as carroças quando estivessem carregadas, o que foi para nós um grande alívio, sendo a terra muito quente e insalubre para que a gente da nossa nação se entregasse a qualquer trabalho duro". O episódio seria qualificado pelo autor das *Memórias históricas de Pernambuco* como "um insolente abuso da vitória".[55]

A manutenção da posse da vila do Recife e do porto durante um mês inteiro não foi uma tarefa desprovida de emoções. Como observa o historiador pernambucano Pereira da Costa sobre as medidas tomadas pelo governador d. Felipe de Moura, "se não conseguiu evitar o inesperado desembarque e os roubos cometidos por esses piratas, à falta de recursos militares, causou-lhes, porém, graves prejuízos nas constantes refregas que dirigiu contra eles".[56]

A REAÇÃO DOS PORTUGUESES E A PARTIDA DOS INGLESES

Antes de partirem para as "constantes refregas", as autoridades de Olinda tentaram primeiro uma saída diplomática, logo após o desembarque espetacular dos soldados de Lancaster e a perda do fortim para os ingleses. Na esperança de negociar com os invasores, os "principais" da cidade, homens da elite colonial, como o capitão Pedro Homem de Castro, o senhor de engenho Felipe Cavalcanti e os Albuquerque e Coelho, mandaram uma comitiva ao encontro de Lancaster. O almirante, entretanto, evitou o encontro. Deixou a comitiva esperando por ele durante todo o dia e se refugiou em uma das urcas holandesas, só voltando à terra quando soube que a comitiva tinha partido para Olinda. Diante do espanto de seus companheiros, que não entenderam por que tinha se recusado a falar com os "principais" de Olinda, justificou sua estratégia: os portugueses, seus velhos conhecidos, eram um povo pérfido e traidor, com quem não valia a pena negociar: "O que poderemos ganhar com conversas quando, com a ajuda de Deus, já conquistamos aquilo que viemos buscar? Devemos arriscar o que conquistamos pelas nossas espadas para vê-los tomar tudo de nós com palavras e ardis? Não há nenhuma sabedoria em agir dessa forma".[57]

Além de não negociar com a comitiva de Olinda, Lancaster ordenou que se algum português fosse capturado, deveria ser liberado com o seguinte recado: "Dali por diante, qualquer um que se aproximar de nós será enforcado imediatamente".[58] Dois espiões portugueses capturados em seguida levaram imediatamente o recado a Olinda, que partiu para uma nova estratégia, estratégia de ataque, dando início às "constantes refregas".

Primeiro, um ruidoso e numeroso grupo de portugueses e índios, a pé e a cavalo, por volta da meia-noite, desceu sobre os ingleses com grande aparato. Foram recebidos com os mosquetes munidos das explosivas metralhas, "que fizeram tal estrago nos índios e portugueses que eles imediatamente se retiraram".[59] Algumas das escaramuças pernambucanas eram mesmo constantes. Todas as noites, na praia, bem em frente ao fortim construído pelos ingleses, surgiam, enviados pelos de Olinda, pequenos grupos de índios armados de arco e flecha, que atiravam sem causar dano, mas que se esforçavam para atrair os ingleses para emboscadas. Entretanto, "os generais e capitães" de Lancaster, segundo um deles, "tinham mais o que fazer do que arriscar a nossa pele atrás de desgraçados sem roupa".[60] Além desse espetáculo noturno, os portugueses cortaram o acesso à água potável, obrigando os ingleses a lutarem cada vez que precisaram cruzar o rio para se abastecer. Não foram somente em terra os ataques organizados pelos de Olinda, que investiram também em desestabilizar os ingleses no mar. Burlando a intensa vigilância em torno dos navios, que estavam sendo carregados, os pernambucanos mandaram nadadores experientes para cortar o cabo da âncora do *Salomon*, expediente comum nos portos brasileiros, mas foram surpreendidos e só conseguiram cortar a boia.

Os pernambucanos quase foram bem-sucedidos com outra técnica de ataque, empregando os chamados "fogos de artifício". Diversas vezes enviaram caravelas, balsas, botes, troncos e outras estruturas flutuantes, em chamas, na direção dos navios ancorados. "Queimavam com as maiores labaredas que já vi", conta o mosqueteiro autor da narrativa da invasão, e "os troncos ocos cheios de artifícios de fogo não cessavam de lançar profusão de perigosas faíscas."[61] Chegaram perto, assustaram, mas, afastados pelos ingleses com certa dificuldade, não atingiram os navios. O último dos ataques com fogo, "perigoso e impossível de evitar", pôde ser prevenido, pois o esquema foi revelado por um dos índios fugidos.

Com os navios completamente carregados, levando "tudo quanto encontraram de mais precioso na povoação, não isentando de tão infame espoliação as próprias pratas e alfaias da pequena capela do Corpo Santo"[62] — como registra Sebastião de Vasconcellos Galvão na sua *Geografia pernambucana*, para que não faltasse certa iconoclastia luterana ao episódio —, James Lancaster deu ordens para que partissem no 31º dia da invasão. Mas a partida foi retardada por uma nova informação, trazida por um dos índios debandados. D. Felipe de Moura, governador loco tenente da capitania, tinha mandado construir um fortim bem na boca do porto, e a frota seria atacada assim que saísse.

No capítulo final dessa história, contada em tons épicos pela narrativa inglesa e também em versos heroicos pelo poeta Henry Roberts, uma companhia militar de 275 ingleses e franceses marchou "da forma mais guerreira e brava, como conquistadores",[63] para o fortim recém-construído dos pernambucanos, uma espécie de grande trincheira ou bateria cavada na areia. Entre os dois relatos ingleses — o panfleto de Henry Roberts e a narrativa escrita pelo mosqueteiro anônimo e publicada em *The Principal Navigations* — há divergência sobre a participação de James Lancaster na ação. Henry Roberts escreve que Lancaster liderou a ação militar e o mosqueteiro registra que o comandante estava adoentado e, além de não ter participado da batalha, instruiu seus homens a não saírem do alcance dos canhões dos navios, o que foi desobedecido pelos capitães líderes da ação, provocando o trágico desfecho do episódio.

A batalha final entre os invasores e os pernambucanos terminou com a morte dos principais homens da empreitada estrangeira em Pernambuco, entre eles o vice-almirante Edmund Barker, homem de confiança de Lancaster, o contra-almirante Randolf Cotton, que já estivera no Brasil com Cavendish em 1592, "dois mui bravos e resolutos cavalheiros, mui lamentados",[64] além do próprio Jean Noyer, "grande amigo de nosso almirante", de seu companheiro de viagem, o almirante francês de La Rochelle, e de mais 31 dos melhores homens.

Bento Teixeira, em sua *Prosopopeia* pernambucana, não faz referência à batalha cantada em prosa e em versos elisabetanos, preferindo cantar os feitos dos Coelho na batalha de Alcácer-Quibir, muito distante dali. Mas os testemunhos ingleses descrevem com detalhes os vários lances da batalha que pôs frente a frente os "campeões da Rainha", lutando "por seu país e sua honra",[65] e a "fera e belicosa olindesa gente".[66]

Quando o pelotão estrangeiro chegou ao fortim escavado na areia, onde pranchas para canhões já tinham sido instaladas, os pernambucanos descarregaram a munição neles e fugiram acompanhados pelos operários que trabalhavam na construção. Os invasores os perseguiram, saindo do alcance visual dos navios ancorados no porto, e então perceberam, mais adiante, alguns pelotões de gente da terra. Ao seguirem até os pelotões, que segundo Henry Roberts contava com 5 mil portugueses e índios, viram-se cercados e sem saída. Então decorreu uma "sanguinária e cruel batalha"[67] em que, depois de gastar toda a munição, os ingleses passaram a lutar com as armas de mão. Nesse momento extremo, deu-se uma espécie de milagre, segundo os relatos ingleses. Aos gritos de "são Jorge, por Deus e são Jorge, em defesa da Inglaterra!"[68], ou ainda "são Jorge, doce Inglaterra, para cima deles!",[69] os quase trezentos invasores, enfrentando 5 mil pernambucanos, mataram um número espantoso de inimigos, "como leões lutando por seu país e sua rainha".[70] Ao longo da batalha, "diante de inimigos sem piedade", perderam os principais homens envolvidos na ação, que tombaram, segundo os versos épicos de Henry Roberts, "como homens de valor, mui resolutos e austeros, cujas famas serão eternizadas por seus feitos; que todos saibam o quão bravamente tiveram fim!".[71] Os poemas de Roberts, pródigos em versos como "a ruína de Espanha temos boa esperança de ver" e outros gritos de guerra ao inimigo ibérico enfrentado em *Fernambuck*, transformam a morte dos homens de Lancaster em atos de bravura, gloriosos, e em exemplo para as novas gerações.

Desbaratados, os invasores voltaram para os navios, e a partida foi imediatamente organizada. Nas narrativas inglesas, encomiásticas e laudatórias, mais um milagre se deu quando a frota de quinze navios saiu do porto, ao alvorecer. "Neste momento, alcançamos outra maravilhosa graça de Deus, que nos favoreceu mais uma vez. Os ventos, que antes sopravam forte e veementemente para dentro da entrada do porto, mudaram seu curso e atenderam nossas necessidades."[72] As naus saíram, não sem alguns tiros de canhão disparados pelos de Olinda, e dirigiram-se para Peren-Jew ou Peranjew,[73] um porto a umas quarenta léguas ao norte de Pernambuco, onde pretendiam fazer aguada e abastecer; para lá tinham sido mandados, na frente, os dois franceses de Dieppe que falavam tupi e que provavelmente já tinham estado neste porto onde "os franceses enchem três ou quatro navios todo o ano de pau-brasil".[74] No caminho para Peranjew, a frota se dispersou por causa do mau tempo, e apenas a *Consent*, a nau capitânia, chegou ao amplo porto e se abasteceu de todo o necessário para seguir viagem.

Todos os navios chegaram a seu destino, exceto uma pequena nau. O lucro dos investidores, entre eles os "veneráveis dignitários" Thomas Cordell, então prefeito de Londres, e o mercador e vereador da cidade de Londres John Watts, um dinâmico empreendedor de expedições de corso contra vilas e naus ibéricas, foi assombroso, estimado em 50 mil libras esterlinas. Como comparação, para perceber a ordem de grandeza do saque pernambucano, o lucro total das empresas inglesas de corso em um mau ano, 1598, foi de 75 mil libras.[75] Grande parte da maravilhosa carga, além do açúcar, do pau-brasil e do algodão, eram as mercadorias de alto preço da nau *São Pedro*: pimenta, cravo, canela, macis, noz-moscada, benjoim, incenso, laca, índigo, aloés, morim, sedas, tecidos e minerais preciosos. De acordo com as ufanistas narrativas inglesas, tudo isso "graças a Deus, que sempre esteve conosco e foi nossa melhor defesa nessa viagem, e com Sua ajuda conseguimos realizar tão grande empresa com tão pequenas forças".[76] E com a particular benção de são Jorge.

III. Jean-François du Clerc (1710)

O COBIÇADO PORTO DA AMÉRICA PORTUGUESA E A COMBALIDA MARINHA DE GUERRA FRANCESA

Ao ENTARDECER DO DIA 16 de agosto de 1710, um sábado, o senhor general Francisco de Castro Morais, então governador do Rio de Janeiro, viu-se subitamente incomodado em sua residência por um dos muitos pescadores que todos os dias navegavam ao longo da costa fluminense. Dizia o assustado súdito que avistara, ainda em alto-mar, seis naus suspeitas que se encaminhavam para a barra, naus que ostentavam pavilhões ingleses. O governador, depois de ouvi-lo com um pouco de impaciência, ordenou que o mantivessem preso no palácio até que se apurasse a veracidade do caso. Precavido, porém, e ciente das reais possibilidades de um ataque corsário à cidade, Morais tratou de imediatamente colocar em movimento e incrementar a máquina de guerra que, sem muita pressa e compromisso, vinha montando no Rio de Janeiro.

Àquela altura, a bem da verdade, poucas deveriam ser as dúvidas de Castro Morais acerca da presença de corsários na costa fluminense. Havia tempos as autoridades metropolitanas e coloniais sabiam que, não obstante todo o secretismo que cercava o tema, as notícias sobre o ouro do Brasil, descoberto no ocaso do século XVII pelos paulistas, circulavam pela Europa e alimentavam a cobiça de governantes, mercadores e navegadores. Eram notícias como as divulgadas pelo engenheiro François Froger, que passara pelo Rio de Janeiro em 1697 e registrara na sua narrativa de viagem que os paulistas costumavam encontrar ouro "em tão grande quantidade que o rei de Portugal, a quem eles enviam o quinto, tira anualmente de oitocentos a novecentos marcos",[1] ou como as legadas pelo renomado navegador William Dampier, que, em 1703, num de seus *best-sellers* marítimos, comentou que o porto de Santos "escoava muito ouro",[2] ou ainda como as propagadas por um traficante de escravos francês que andou pelas ruas de Salvador e do Rio de Janeiro em 1703. O visitante anônimo, entre outras coisas, informou a seus curiosos leitores europeus que o ouro era "muito comum nas cidades brasileiras" e que, anualmente, vinha de Lisboa uma frota carregada de mercadorias que, depois de deixar a carga nos principais portos do país, voltava para a Europa com grande quantidade do metal, extraído "das minas de São Paulo, localizadas a oitenta ou cem léguas do Rio de Janeiro. Nessas minas de ouro, comenta-se, trabalham mais de 60 ou 80 mil homens".[3]

Havia tempos, também, sabia-se que os franceses cobiçavam o ouro entesourado no Rio de Janeiro e transportado pela "frota do Brasil" — navios que anualmente partiam das três principais cidades do país, Rio de Janeiro, Salvador e Recife, rumo a Lisboa e Porto, transportando produtos da colônia para a metrópole. Tinham-se notícias constantes de que, apesar do grande empenho do célebre secretário de Estado da Marinha, Jean-Baptiste Colbert, a Marinha de guerra francesa vinha, desde a batalha de La Hogue (1692), passando por uma crise profunda. Haviam definitivamente ficado para trás os tempos das portentosas batalhas navais e dos grandes almirantes. Os portos do país estavam entregues às moscas, e os marinheiros, trabalhadores do cais e soldados há muito não recebiam nem mesmo seus salários. O persistente quadro de crise tinha levado Luís XIV e seu novo ministro, Jérôme Phélypeaux de Pontchartrain, a encontrar uma solução de emergência que acabou por dar bons resultados: investir nas colônias da América e nas frotas que de lá partiam — com suas supostas imensuráveis riquezas e parcas defesas — e incentivar a atividade corsária, permitindo que particulares armassem seus navios e oferecendo-lhes autorização (as famosas "cartas de corso"), mediante partilha de lucros, para que atacassem embarcações e possessões de potências estrangeiras inimigas, entre as quais, e àquela altura prioritariamente, Portugal.[4]

Ciente das ameaças, o governador Castro Morais — a quem a população apelidara de *O vaca* —, desde que assumira seu cargo, em 30 de abril de 1710, vinha tomando, com dificuldades e com a pressa que caracterizava a atuação da administração colonial, algumas medidas para garantir a segurança da cidade, que rapidamente se tornava, com a proximidade das minas e o crescente volume de riquezas que circulavam pelo porto, a mais importante da colônia. A mando de sua majestade, o rei de Portugal — conforme noticia um opúsculo publicado meses depois do ataque —, Morais guarnecera a cidade "com regimentos pagos, governados por oficiais valorosos e experimentados na presente guerra" — a guerra da sucessão espanhola (1702-1714) —, aos quais vieram se juntar os muitos soldados já instalados na urbe, os "moradores das minas novamente descobertas" e os habitantes de São Paulo, "que também são guerreiros", colocados todos de prontidão para socorrer a cidade no caso de um ataque pirata.[5] Morais cuidara também de retomar as obras de armamento e conservação das muitas fortificações da cidade iniciadas pelo governador Sebastião de Castro Caldas, que, cerca de uma década antes, mandara "reforçar as fortalezas de Santa Cruz, de São João, de Santiago, e construir baterias na Ponta de Gragoatá e na Ilha de Villegaignon, no que foi muito ajudado pelo povo, que espontaneamente concorreu com oito mil cruzados para essas obras".[6] Frei Francisco de Menezes, em carta enviada do Rio de Janeiro ao marquês de Cadaval — que se encontrava em Lisboa —, logo depois da rendição de Du Clerc, em 1710, detalha melhor a situação e dá uma excelente ideia do ritmo que as providências de fato tinham sido tomadas. Revela o frei que "as fortalezas estavam muito mal prevenidas de Artilharia, por serem muito poucas, e [...] estarem montadas com tão más carretas, como a experiência mostrou, que muito poucas se achavam capacitadas para dar mais de dois tiros". Todavia, o governador, sabedor da cobiça e da proximidade francesa,

> deu logo ordem de montar artilharia, fazer carretas e mandar serrar reparos para elas com louvável zelo e trabalho pessoal, sem se poupar dia nem noite, e fez mais naqueles dias até os primeiros de setembro que havia feito de 28 de junho até os 17 de agosto, que foi quando veio o paquete, e quando vieram à barra os franceses; e atrevo-me a dizer mais que todos os governadores fizeram [...][7]

Foi essa máquina de guerra, em parte construída às pressas, já com os franceses à porta, que o não muito previdente mas empenhado governador Castro Morais pôs em movimento quando, naquele entardecer de sábado, soube da preocupante presença das naus supostamente avistadas pelo pescador.

A CHEGADA DA ESQUADRA COM FALSA BANDEIRA

AO LONGO DA TARDE DO dia 17, um domingo, tudo se precipitou. De prontidão, os soldados da fortaleza de Santa Cruz, instalados na entrada da baía de Guanabara, avistaram, por volta das três horas da tarde, aproximadamente, seis naus com bandeiras inglesas e dispararam, seguindo os protocolos marítimos, "uma peça sem bala" de aviso. A nau capitânia, que vinha à frente, respondeu "com outra para sota-vento, colhendo a bandeira".[8] Desconfiados e atentos, os soldados da fortaleza fizeram alguns disparos com bala, obrigando as embarcações inimigas a fundearem e, pouco depois, a se afastarem rapidamente da entrada da baía. Enquanto manobravam em retirada, as naus hostis ainda tiveram tempo e sorte necessários para capturar uma sumaca que, exatamente naquele instante, buscava desavisadamente a entrada da baía e, enganada pela falsa bandeira inglesa, foi se meter no meio das embarcações francesas.

As suspeitas e os temores da metrópole e do governador Castro Morais concretizavam-se: o Rio de Janeiro realmente estava em vias de sofrer um ataque pirata. Mas quem, tão inadvertida e despreparadamente — perguntava um português contemporâneo —, ousava atacar a mais bem guardada cidade dos domínios portugueses da América, cidade protegida por uma baía de acesso complicado, repleta de fortalezas e rodeada por montanhas praticamente inacessíveis?[9] Um pouco mais tarde, soube-se que o agressor era francês e atendia pelo nome de Du Clerc.

Poucas são as notícias que se tem sobre a vida e a carreira do personagem principal dessa trama, o corsário Jean-François du Clerc. Nascido na ilha de Guadalupe, o crioulo provinha de uma estirpe de "qualidade", como então se dizia; seu pai, morto em 1691 durante um ataque inglês às ilhas, pertencera à Marinha colonial e era homem de confiança de De Baas, o governador-geral das possessões francesas no Caribe. A mãe era viúva de outro governador, De Lion, e vinha de uma família de posses. O próprio Du Clerc fora nomeado encarregado dos negócios marítimos de Léogâne — uma comuna situada a oeste do atual Haiti — e era protegido do governador-geral das ilhas, Du Casse, que, segundo um contemporâneo, o abade Labat, tinha o jovem na conta de um homem empenhado, empreendedor e ousado, um homem que iria longe caso o infortúnio não o tivesse precocemente colhido em 1710, no Rio de Janeiro. Da vida marítima de Jean-François du Clerc quase nada se sabe, salvo que, por volta de 1707, foi nomeado capitão de navio auxiliar e, posteriormente, atuou em algumas missões na região do Caribe, zona repleta de flibusteiros, e na costa da América do Sul.[10]

Dessas missões americanas quem dá notícias é Charles Devin, marquês de Quincy. Devin, em 1726, na sua história da vida militar de Luís XIV, relata que Du Clerc, em 1708, no comando da fragata *La Valeur*, perseguiu e capturou nas imediações da costa pernambucana um bergantim português cujos tripulantes, feitos prisioneiros, contaram-lhe que uma frota de quatro embarcações sairia do Brasil, rumo a Lisboa, ricamente carregada. Du Clerc não perdeu tempo e conseguiu atacar e capturar dois navios dessa frota, também na altura de Pernambuco, apossando-se de uma carga de duas toneladas composta de açúcar, couro e pau-brasil. Em 1709, teve lugar, segundo Devin, outra peripécia do jovem capitão. Du Clerc perseguiu, combateu duramente e capturou, na altura de São Pedro, na Martinica, um navio inglês, o *Adventure*, que levava desassossego à região.[11]

A captura do *Adventure* é a derradeira atividade caribenha do capitão, pois em 1710, depois de um breve retorno a La Rochelle, de onde partira em 1708, Du Clerc, subitamente promovido a capitão de fragata e cavaleiro da Ordem de São Luís, aparece na enseada do Rio de Janeiro à frente de uma pequena esquadra de seis embarcações — *L'Oriflamme*, de sessenta peças de canhão, *L'Atalante* e *La Diane*, de 44 peças, *La Valeur*, de quarenta peças, *La Venus*, de vinte peças, e uma balandra, *La Mercure* — e uma tropa de mais ou menos um milhar de homens, reunidos sob o patrocínio de uma companhia de comércio, Chastelain de Neuville, instalada na cidade francesa de Brest.[12]

Eis o homem, ou melhor, o pouco que se sabe dele: um jovem marinheiro bem-visto por seus superiores e com conhecimento das atividades de corso — inclusive na costa brasileira —, que encontrou um grupo de investidores interessados em bancar um temerário ataque contra o mais cobiçado porto da América portuguesa daqueles tempos. Foi um corsário ousado mas ainda inexperiente que surgiu diante da barra do Rio de Janeiro e se viu impedido de entrar no porto, naquela tarde de agosto de 1710, pelos canhões da fortaleza de Santa Cruz.

Mas é hora de voltar à entrada da baía de Guanabara, agora em companhia de um soldado de Du Clerc, um militar autor da única narrativa sobre a invasão, discretamente publicada em 1712.[13] Relata Nicolas-François Arnoult de Vaucresson, o compilador do depoimento desse militar, que a viagem de La Rochelle ao Rio de Janeiro correu — apesar dos muitos homens que adoeceram pelo caminho e tiveram de ser tratados durante uma breve parada nas ilhas de Cabo Verde — da melhor maneira: o clima esteve agradável e os ventos sopravam favoráveis.

Os problemas, no entanto, não tardaram a aparecer. A cidade do Rio de Janeiro, ao contrário do que supunham os invasores — que foram informados de que muitas tropas tinham sido deslocadas da cidade para combater os paulistas revoltosos nas imediações das minas, na conhecida Guerra dos Emboabas —, encontrava-se bastante bem guarnecida. Para mais, as hesitações do capitão tinham comprometido talvez a única vantagem francesa naquela altura: a surpresa. Du Clerc avistara a costa do Rio de Janeiro na manhã do dia 16, mas postergou o ataque para o dia seguinte, dando tempo aos portugueses de guarnecerem as fortalezas "com tropas e munições".[14]

Parada estratégica em Ilha Grande e marcha rumo ao Rio de Janeiro

Daí o recuo estratégico de Du Clerc ao perceber rapidamente, assim como a maior parte de sua tripulação, que as fortalezas estavam de prontidão e os portugueses, bem armados. Mas o capitão, relata-nos o militar, não desistiu de seu intento: levantou âncora, capturou a pequena embarcação baiana que entrava na baía de Guanabara e decidiu rumar para Ilha Grande, distante cerca de 160 quilômetros do Rio de Janeiro, onde pretendia obter água e desembarcar os marinheiros doentes para que recebessem os cuidados necessários. E assim procedeu Du Clerc.

Uma vez em Ilha Grande, relata seu subordinado, o corsário manifestou a intenção de entrar no Rio de Janeiro por terra. Faltava-lhe, porém, encontrar um lugar próximo da cidade e acessível para desembarcar as tropas. Foi nesse ínterim que vieram a bordo quatro negros da ilha, escravos foragidos da fazenda de Bento do Amaral Coutinho, que queriam se render aos franceses. Ansiosos por parecerem leais e prestativos, os novos aliados informaram a Du Clerc que, a cerca de vinte quilômetros do Rio de Janeiro, havia um lugar seguro e de fácil acesso para o desembarque de suas tropas, um lugar de onde o capitão poderia alcançar a cidade por terra e sem problemas.

 Empolgado com a novidade, Du Clerc iniciou os preparativos para a partida: desembarcou todas as tropas, cuidou dos estropiados e, em 6 de setembro de 1710, crente de que o tempo decorrido devolvera-lhe a vantagem da surpresa — sobretudo porque agora alcançaria o Rio de Janeiro por terra —, embarcou todas as tropas em um de seus navios, o *Mercure*, e partiu rumo à praia prometida pelos negros. Aqui, a narrativa promove uma substituição do narrador, o militar anônimo — que parece ter ficado a bordo de uma das naus deixadas em Ilha Grande e não ter participado das operações em terra — dá lugar a outro oficial francês, o major de esquadra Mauclerc.[15] Conta o major que Du Clerc, depois de muito perambular pela costa, em 15 de setembro desembarcou finalmente em um local denominado Guaratiba, situado a cerca de sessenta quilômetros da cidade do Rio de Janeiro.

 Enquanto o capitão buscava uma praia propícia e desembarcava seus oitocentos subordinados para uma dura caminhada de quatro dias, as coisas andavam movimentadas no Rio de Janeiro. As autoridades da cidade não assistiram impassíveis à movimentação de Du Clerc pela costa desde que deixara a entrada da baía de Guanabara; ao contrário, logo que a esquadra invasora bateu em retirada, Castro Morais mandou guarnecer as praias e avisar os portos vizinhos — Santos e Ilha Grande — da presença dos franceses. Tratou também de monitorar o deslocamento dos inimigos: no dia 27 de agosto soube que alguns homens desembarcaram em Ilha Grande, saquearam engenhos e tiveram algumas baixas, graças à resistência dos colonos, que combateram enquanto durou a pouca munição que tinham; em 5 de setembro veio a notícia de que havia desembarcado gente em Ilha Grande, e algumas lanchas foram enviadas à ilha da Madeira — próximo à atual Itaguaí —, onde cerca de trezentos homens, sem nenhuma resistência, saquearam um engenho de poucos escravos. Dois dias mais tarde, uma parte da frota inimiga dirigiu-se para Angra dos Reis e, durante dois dias, bombardeou incessantemente a cidade, sem, contudo, causar grande estrago, "recebendo só algum dano os conventos do Carmo e de Santo Antônio".[16] Governava, então, a vila de Angra dos Reis o capitão de infantaria João Gonçalves Vieira, acerca de quem um morador do Rio de Janeiro relatou o seguinte ato de bravura: "Sendo a Vila aberta e sem mais guarnição que as ordenanças, desprezando as propostas que lhe fizeram, sem mais perda que a de um alferes, os obrigou a retirar-se quando intentaram lançar gente em terra".[17]

O governador soube, ainda, por meio do tenente Rodrigo de Freitas, que os mesmos navios continuaram sondando as praias da região e na noite de 10 de setembro tentaram desembarcar a duas léguas da cidade, mas foram impedidos pelas ordenanças que se encontravam na região. Preocupado com a persistência do inimigo, o governador mandou reforçar as tropas com dois destacamentos dos regimentos pagos, liderados pelos coronéis João de Paiva Souto Maior e Gregório de Castro Morais (irmão do governador), os quais, segundo testemunhos, quando chegaram ao local, "acharam já os inimigos retirados pelo valor dos defensores e aspereza do sítio".[18]

A tranquilidade da costa durou pouco. No dia seguinte, logo pela manhã, os franceses se aproximaram da barra da Tijuca, situada a somente quatro léguas da cidade. A essa altura, toda a costa, entre Santos e Rio de Janeiro, estava em sobressalto. Um contemporâneo pinta o seguinte quadro da situação:

> acudia todo o povo de terra adentro, com toda pressa e cuidado, aos ecos da artilharia, brancos e pretos, a cavalo e a pé, bem armados largando suas casas [...]; e deixando-as dessocorridas, marcharam com toda a ânsia, acudindo aos postos

que lhe haviam nomeado, por uma e outra banda da barra, donde já estava [...] muita artilharia e parapeitos [...][19]

Em meio a tamanha agitação, veio a notícia de que, na noite do dia 15 de setembro, cerca de oitocentos corsários tinham desembarcado no porto de Guaratiba, a sessenta quilômetros da cidade, sem enfrentar grande resistência — somente a de um punhado de fazendeiros e escravos residentes naquele lugar, uma praia isolada e de difícil acesso — e que, apesar das inúmeras agruras do terreno, pretendiam alcançar o Rio de Janeiro por terra.

E foi exatamente isso que fizeram os franceses. Infelizmente, Mauclerc, o major de esquadra que legou o único testemunho francês do episódio, é omisso no tocante às perambulações francesas pela costa antes do desembarque; não lhe pareceram dignas de nenhuma nota as tentativas frustradas de desembarque pelas praias da região e as baixas decorrentes, os ataques e os saques aos engenhos ou o bombardeamento de Angra dos Reis. Mauclerc é igualmente lacônico ao descrever a longa e árdua caminhada rumo ao Rio de Janeiro. Dos quatro dias despendidos na marcha, o militar diz somente que, dos 710 homens desembarcados, quatro foram feridos na caminhada, vítimas de uma emboscada dos portugueses a poucos quilômetros da cidade, e que as tropas, ao longo de todo o caminho, pousaram nos engenhos em que encontraram víveres para saquear.

Os portugueses, ao contrário, interessados em valorizar a vitória que tinham alcançado, não deixaram de realçar, em seus relatos sobre o episódio, os muitos estragos que os franceses causaram na caminhada entre Guaratiba e a cidade do Rio de Janeiro. A marcha começou, como se viu, no dia 15 de setembro de 1710, uma segunda-feira. O governador, devidamente informado pelo capitão de cavalos José Ferreira Barreto, deliberou não atacar diretamente o inimigo, mas obstaculizar-lhe a caminhada, designando 150 soldados, entre ordenanças e pagos, alguns a cavalo, para ir a seu encontro e impor-lhes perdas e dificuldades. Castro Morais preocupou-se ainda em proteger seus governados dos estragos que as naus inimigas, que ainda perambulavam pela costa, acanhoneando Angra dos Reis e levando inquietação a outros pontos do litoral fluminense, estavam causando, reforçando as defesas costeiras.

O inimigo que marchava por terra, todavia, avançava rapidamente em direção à cidade. Em 17 de setembro teve-se notícia de que estavam próximos à barra da Tijuca e de que tinham saqueado os prósperos engenhos de Camorim e da Vargem, este pertencente aos religiosos de São Bento e situado a um dia de viagem da cidade. Aí o estrago parece ter sido realmente grande, a ponto de um contemporâneo penalizado relatar: "E quanta fazenda puseram rasa de frutos, casas, gado, cavalos, e era uma dor de coração ver aquele povo feminino, sem sorte, que vinha fugindo para a cidade, descompostas com os seus filhos nos braços e atrás de si".[20] As notícias de tal devastação chegaram aos ouvidos do governador ao cair da noite do dia 17, levando-o imediatamente a reunir todos os homens que estavam espalhados pelas praias — exceto as sentinelas — e a estabelecer um acampamento no campo de Nossa Senhora do Rosário, onde "o inimigo havia de sair", cavando aí uma grande trincheira e posicionando a artilharia. Enviou, ainda, mais 150 homens para se reunirem aos que já havia despachado e ordenou que outros quinhentos, sob o comando do tenente-coronel José Vieira, dessem a volta e "picassem a retaguarda" do inimigo.[21]

Mais cedo, no mesmo dia 17, dois incidentes inusitados levaram ainda mais sobressalto à população da cidade. À tarde, um castelhano, morador dos arredores, vestido de modo humilde, saiu subitamente do mato e ganhou o caminho por onde deveriam passar os franceses. O povo pôs-se a gritar: "morra, morra"; e só não o linchou porque o general, depois de impor-lhe uma multa, enviou-o preso para uma das fortalezas. Um pouco mais tarde, espalhou-se a notícia de que um francês, que trabalhava nas minas e residia na cidade, havia deixado sua residência e ido para a casa de outro francês, localizada no caminho de Irajá, por onde os invasores também deveriam passar. Ambos foram capturados e imediatamente metidos na cadeia.

Enquanto o dia corria agitado na cidade, o rastro de destruição causado pelos franceses prosseguia para além de Camorim. Depois do engenho dos beneditinos, os invasores passaram com estardalhaço pelo Engenho d'Água e, em 18 de setembro, ao atravessarem as regiões de Jacarepaguá e do Andaraí, "vencendo os embaraços do caminho",[22] alcançaram os dois ricos engenhos mantidos pelos padres da Companhia de Jesus, próximos à igreja de São Francisco Xavier, também fundada pelos jesuítas: primeiro, o Engenho Novo, a cerca de quinze quilômetros da cidade, depois, o Engenho Velho, distante sete quilômetros, onde resolveram passar a noite.

Foi exatamente nesse ponto da caminhada, revela o major Mauclerc, que Du Clerc, ciente do quão próximo estava da urbe, deliberou dividir suas tropas em três frentes, designando para a dianteira de cada grupo um batalhão de granadeiros. O capitão cuidou também de criar um batalhão avançado, composto de 32 soldados, entre guardas-marinha e voluntários, sob o comando de Dupeyrat e Depréfontaine. Assim dispostas, as tropas francesas enfrentaram seu primeiro confronto de relevo ao atingirem a desembocadura de um caminho onde um número realmente significativo de inimigos os aguardava. Du Clerc logo colocou suas tropas em posição de combate e enviou duas companhias de granadeiros a uma elevação situada à direita da estrada, onde um grande número de soldados portugueses tinha se instalado no interior de uma igreja. O combate foi bastante aguerrido e os franceses não somente foram incapazes de desalojar os combatentes, como ainda perderam Iramberi, o capitão dos granadeiros.

Enquanto isso, Du Clerc, com as tropas ordenadamente dispostas em posição de combate, seguiu pela estrada rumo à cidade; logo que entrou, deparou com as tropas de voluntários e, mais tarde, com aquelas lideradas pelo irmão do governador, Gregório de Castro Morais, contra as quais travou um acirrado combate, que resultou na morte de Gregório.

O combate endurece no centro da cidade

Os franceses estavam, então, no coração da urbe de onde, como destaca o major Mauclerc, vinham tiros incessantes de todos os lados. O general Du Clerc, no entanto, parecia incomodar-se pouco com as balas que partiam das centenas de janelas dos imóveis da cidade e seguia adiante das tropas, incansável. A seu lado, porém, tombavam soldados e oficiais, uns feridos, outros mortos, o que o obrigou a fazer uma pausa no largo, em frente ao convento do Carmo, para reorganizar as tropas. O fogo inimigo seguia implacável. Tiros eram disparados de todas as direções, o que obrigou o general a seguir para o norte da cidade, com o intuito de alcançar o convento dos beneditinos e lá se proteger do fogo inimigo, reorganizar as tropas e contra-atacar; além disso, o general previa que em São Bento ainda lhe restaria, caso o desenrolar dos acontecimentos obrigasse, uma rota de fuga para o mar. A missão, porém, era arriscada e, para animar os soldados, Du Clerc pulou à frente das tropas, tomou na mão uma bandeira encharcada de sangue — três soldados tinham caído mortos abraçados a ela — e, auxiliado por De Rigaudière, exaltou os homens a segui-lo.

De Rigaudière, com a dita bandeira na mão foi, por ironia do destino, o primeiro a se ferir. Depois dele, em razão do intenso fogo inimigo, tombaram, mortos ou estropiados, todos os oficiais e sargentos que vinham na linha de frente. Du Clerc, a essa altura, sugere Mauclerc, cometeu um erro digno dos líderes inexperientes: deixou-se levar por seus soldados e deliberou atacar um prédio à beira-mar, fortemente guarnecido por cinco canhões, no qual acabaria por ficar encurralado.

Avançaram sob fogo pesado, seguidos pelos granadeiros, o guarda-marinha Boifron e Du Sault. Ao mesmo tempo, Du Clerc, auxiliado por um Rigaudière combalido, forçou a porta da frente do imóvel. Graças a um disparo acidental de canhão do inimigo, que pôs abaixo a porta dianteira, os dois entraram na casa sem nenhum ferimento e Du Clerc, de fuzil na mão, fez diversos prisioneiros; a maioria dos ocupantes do imóvel, no entanto, escapou facilmente por uma porta lateral.

A pequena vitória trouxe alívio momentâneo aos franceses, que tiveram uma pausa para se recompor, depois de seis horas ininterruptas de combate — entre às oito da manhã e às duas da tarde —, em condições bem pouco favoráveis e com resultados bastante desmotivadores. O imóvel recém-ocupado contava com alguns canhões, abandonados pelo inimigo, e o general, para ganhar tempo, efetuou alguns disparos contra os navios do porto e contra algumas posições dos portugueses em terra. O edifício, porém, desde que os inimigos souberam dos acontecimentos, foi cercado e bombardeado ininterruptamente pelos canhões instalados numa pequena ilha vizinha. Impaciente, o capitão resolveu sair em busca de uma posição mais vantajosa, mas foi advertido por Du Sault e por outros oficiais de que um terço dos subordinados estava morto ou ferido e de que, para qualquer direção que decidisse rumar, teria de atravessar o coração das tropas portuguesas, que contava com um efetivo de quase 8 mil homens espalhados por todos os lados. Du Clerc constatou, depois de passar rapidamente as tropas em revista, que havia somente sete oficiais e quatro ou cinco guardas-marinha em condições de combate.

Em meio ao impasse, chegou ao imóvel ocupado um padre, que vinha acompanhado pelo capelão de Du Clerc, capturado mais cedo pelos portugueses. O religioso estava encarregado pelo governador Castro Morais de propor ao francês condições dignas para sua imediata rendição. A ousadia pareceu desmedida a Du Clerc, que rispidamente respondeu que não tinha a menor intenção de se render, e que "sairia da cidade do mesmo modo que entrara".[23]

A situação, no entanto, não era para bravatas. Pressionado por seus oficiais, que não viam escapatória daquele refúgio mal escolhido, e pela ameaça de Castro Morais, que mandou avisar que incendiaria a casa, Du Clerc decidiu voltar atrás e enviar o próprio major Mauclerc às linhas inimigas para negociar um acordo. A intenção do general era conseguir que o governador o autorizasse a voltar com seus homens, em paz, para os navios. Castro Morais julgou a proposta dos franceses descabida e fez ao major uma contraproposta: aceitaria a rendição imediata de todos — sem mais condições — e comprometia-se a manter os oficiais em liberdade e os soldados detidos em casas e fortalezas.

Mauclerc, sempre atento ao número de inimigos que o rodeava, voltou ao reduto francês e relatou tudo ao general. Du Clerc a princípio julgou a proposta inaceitável e cogitou abrir caminho à bala para retornar aos navios. Mas logo seus oficiais intervieram: Du Sault recordou-lhe o tamanho das perdas que tinham sofrido e De Belami salientou que sua atitude punha em risco a vida de todos os súditos do rei da França e que, caso se rendessem, em breve seguiriam para Lisboa e de lá para a França. Du Clerc ouviu e se resignou.

A CONTENDA NA VISÃO DOS PORTUGUESES

Os portugueses aguardavam ansiosamente do lado de fora, um pouco céticos de que tinham, desorganizados e mal conduzidos, levado tão facilmente o inimigo à rendição. Os combates, contam as testemunhas, tinham primado pela confusão e pelo desencontro das tropas lusas, que, por sorte, estavam em número muito maior e em melhores condições. Foi, inclusive, com certa surpresa, ou melhor, incredulidade, que os portugueses toparam com os franceses a menos de uma légua da cidade. Muitos acreditavam que a mata, por si só, daria cabo dos invasores; outros, no entanto, diziam que os franceses não tinham vindo de tão longe para desistir àquela altura e que era preciso "ajudar as matas".[24] Para mais, revela-nos Francisco de Menezes em sua mencionada carta ao marquês de Cadaval, as tropas portuguesas encontravam-se em completa desordem, mal preparadas e muito, muito mal comandadas: "O que ouço dizer é que nunca se fizera Conselho para esta guerra, nem se dispôs batalha ao inimigo, estando ele já à vista, que os nossos fizeram eles seu conselho, mas a nós não nos foi necessário, mas nos ia custando muito caro [...]".[25] Menezes salienta, ainda, que a maior parte dos combates foi empreendida por tropas não pagas — desaparelhadas e em número reduzido — e que os regimentos pagos e o governador nunca estavam onde deveriam estar: combatendo o inimigo. O desencontro mostrou-se tamanho que, com os franceses a poucos quilômetros do coração da cidade, o governador cometeu o equívoco de enviar tropas na direção oposta, como revela uma testemunha:

Destacou logo o senhor general um terço pago com alguns da ordenança a socorrer a fortaleza da praia Vermelha que fica por fora da Barra para a parte do sul e por terra duas horas de marcha, pensando que o inimigo levaria esse intento [...]. E indo já o terço marchando com toda a pressa saindo a praia, chegava o inimigo avistar-se com a nossa gente que estava ao pé de Nossa Senhora do Desterro [...][26]

Entre o outeiro de Nossa Senhora do Desterro e a capela de Nossa Senhora da Ajuda, os franceses depararam com as tropas do capitão de cavalos Antônio Dutra da Silva — morto em combate —, que lhes impuseram pesadas perdas e conseguiram manter suas posições. Diante da dureza do fogo inimigo, Du Clerc, ciente de que parte das tropas portuguesas dirigia-se para a praia Vermelha e de que o governador se encontrava convenientemente instalado nas trincheiras do campo do Rosário, resolveu adentrar na cidade com a maior parte de suas tropas e buscar abrigo em algum convento ou igreja. Logo que Du Clerc ganhou o largo do Carmo, os portugueses deixaram claro que, malgrado a desorganização de suas tropas e a pouca aptidão do governador para comandá-las, não iam tornar fácil a vida do general — que, convenhamos, não era, segundo relatam seus subordinados, um militar de grande valor.

Ainda que as tropas do governador demorassem a dar o ar de sua graça, os moradores da cidade, com seus escravos devidamente armados, sob o comando do engenheiro José Vieira, instalaram-se no convento do Carmo e impuseram um fogo cerrado e contínuo aos inimigos, obrigando-os a desistir do prédio e a buscar outro refúgio. Os franceses se dirigiram, então, para a residência dos governadores, situada na rua Direita. Aí, também, as tropas do governador não marcavam presença. A defesa do lugar estava entregue a

48 bravos estudantes, sob o comando do lente Bento de Amaral Gurgel, que de tudo fizeram para embaraçar o caminho dos franceses e evitar que tomassem o prédio. Francisco Menezes, sempre avesso a Castro Morais, na versão que contou ao marquês de Cadaval, salienta que "nunca o governador socorreu aos pobres rapazes, todos sem barba" e acompanhados somente por alguns "negros e pardos". Menezes assevera que a maioria dos auxiliares do governador supunha que "a cidade estava tomada"; o próprio Castro Morais teria dito: "Estamos mal, temos a cidade perdida". Ao que alguém retrucou: "Perdido está o inimigo, sem remédio, porque está atacado na rua Direita". Espantado mas satisfeito, o governador perguntou: "Quem lhe fez isso? A companhia dos estudantes, e alguma gente mais negra e parda", responderam-lhe, complementando, "agora é necessário que vá uma companhia socorrê-los e vá um troço de gente mais grosso pela parte de São Bento".[27]

Foi somente então, relatam testemunhas, que Castro Morais resolveu tomar uma atitude mais contundente, enviando para a cidade dois regimentos: um comandado por seu irmão, o coronel Gregório de Castro Morais, e outro sob o comando do sargento-mor Martim Correa de Sá e do capitão Francisco Xavier de Castro Morais, a quem também acompanhava o irmão alferes, ambos filhos do coronel Gregório.

Logo que alcançaram a rua Direita, o pior aconteceu: o coronel Gregório, que mal tinha entrado em combate, levou um tiro mortal, e seu filho primogênito, Francisco Xavier, levou dois tiros, um no peito e outro na altura do quadril. Dizem os coetâneos que o coronel, soldado vaidoso e de renome, impossibilitado de dar mostras de sua tão apregoada bravura e perícia, teria dito antes de morrer: "Avancem, pois um homem só não faz falta".[28] É incerto que tenham sido essas as palavras exatas do coronel. Seu regimento, entretanto, avançou e afastou os franceses da residência dos governadores, que a duras penas ainda era defendida por 42 daqueles "48 heroicos estudantes imberbes"[29] que tinham iniciado o combate — seis já haviam morrido. A situação na cidade, a essa altura, era de extrema confusão, como sugere uma testemunha:

> Isso sucedeu num tempo em que estava o povo confuso, sem saberem uns dos outros, nem do que se passava com o mulheril fechado nas igrejas; os que guarneciam postos estavam neles, a gente da peleja, espalhada, pelejando com os que ficavam diante de si, as casas fechadas sem ninguém e as ruas solitárias.[30]

As ações das tropas enviadas pelo governador, apesar do infeliz acidente com os Castro Morais, deram frutos: os franceses, que já vinham de sucessivos reveses, ficaram atordoados em meio ao fogo da soldadesca portuguesa e se viram obrigados a correr para um armazém ou trapiche, como então se dizia, que havia nas proximidades. O lugar estava desguarnecido e os invasores não tiveram grande dificuldade em tomá-lo. No entanto, Du Clerc — e os portugueses cedo constataram isso — tinha feito um mau negócio: metera-se em um beco sem saída.

Instaladas no trapiche, as tropas francesas passaram a utilizar, contra as tropas em terra e os navios portugueses ancorados no porto, as seis peças de artilharia que havia no lugar. Imediatamente, o governador — que enfim tomara pé da situação — ordenou aos navios ancorados no porto, à artilharia instalada em São Bento e às fortalezas das ilhas das Cobras e da Pólvora que canhoneassem incessantemente o trapiche, de modo a forçar a rendição do inimigo. Du Clerc, contudo, cuja impetuosidade beirava a imprudência, mesmo sabendo que estava cercado e que acabara de perder cerca de oitenta homens de um batalhão desgarrado — dizimado pelos portugueses no campo do Rosário — e outros tantos soldados que estavam escondidos atrás da igreja de Santa Cruz ao lado do trapiche, ainda resistia, respondendo ao fogo inimigo um pouco a esmo — depois de uma sucessão de erros estratégicos, o general não dispunha de muitas opções.

A impaciência, porém, tomava conta dos portugueses, que viam tombar muitos combatentes — escravos, em sua maioria, "que pelejaram com grande valor"[31] — na rua Direita, em razão dos tiros que vinham do trapiche ocupado. Pensou-se, a princípio, em incendiar o lugar, afinal, tratava-se de um armazém desimportante, repleto de inimigos, que não justificava zelo. No entanto, logo se constatou que tal não era aconselhável, pois havia muitos portugueses lá dentro e nos imóveis contíguos, e não somente soldados: a família do proprietário do trapiche e muitas mulheres e crianças que tinham escolhido o local e as casas próximas para se refugiar.

O dia chegava ao fim — a batalha já durava dez horas — e nada de o impasse se resolver. Temeroso de que a queda de braços se arrastasse noite adentro, o governador julgou por bem, malgrado os riscos, ceder àqueles que queriam incendiar o trapiche. Barris de pólvora foram, então, rolados em direção ao prédio, mas no exato momento em que se preparava um tiro de artilharia para fazer explodir a pólvora, saiu de dentro do prédio, portando uma bandeira branca, um oficial inimigo, que imediatamente foi levado à presença do governador. Depois de rápida negociação, o homem voltou ao trapiche e, "pouco antes da Ave Maria",[32] saiu de lá seguido por todos os franceses. Propagada a notícia, os sinos dos conventos e das igrejas da cidade, que não eram poucos, anunciaram estridentemente a boa-nova. Mais de cinquenta portugueses perderam a vida e oitenta tinham sido feridos, alguns com bastante gravidade.

Terminam os combates, continuam os problemas

TERMINADA A BATALHA E CONTABILIZADAS as perdas, outros problemas surgiram. Em 21 de setembro, um domingo, os navios franceses que deveriam ter auxiliado Du Clerc na invasão surgiram na barra — o general certamente calculara mal o tempo que demoraria para alcançar a cidade por terra, desencontrando-se de suas embarcações — e, mesmo impedidos de entrar na baía pela fortaleza de Santa Cruz, geraram uma enorme inquietação entre os cariocas. As coisas se acalmaram somente na manhã seguinte. Há testemunhos de que o governador apenas teria autorizado Du Clerc a comunicar a seus navios sua condição de prisioneiro, e que, uma vez sabedores de tudo o que se passara, os franceses decidiram suspender o bombardeio à cidade e à Ilha Grande, restituir os prisioneiros portugueses que tinham em seu poder — entre os quais a tripulação da sumaca baiana —, deixar em terra os pertences dos prisioneiros e seguir viagem para a Martinica. Outros testemunhos — nomeadamente o do frei Francisco Menezes — sugerem que antes de partir os franceses estabeleceram uma obscura negociação comercial envolvendo o governador, negociação que implicou a venda, para o próprio dono, da sumaca e da carga capturadas na costa e de uma carcaça, sob pretexto de deixar um pé-de-meia para os prisioneiros. A conclusão de Menezes é contundente: "Meu senhor, nesta terra não há mais que desordens, ninguém olha para a conveniência da coroa, todos lhe roubam o que podem e o que não podem. Esta guerra fez gastar muita fazenda real [...]".[33]

Os franceses partiram no dia 15 de outubro, e somente então a população do Rio de Janeiro pôde, enfim, respirar aliviada e dar vazão à sua alegria. Por certo, parte da "fazenda real desperdiçada", a que se referia Menezes, foi consumida nessas manifestações de júbilo, que contaram com "nove dias festivos, com o senhor exposto em nove igrejas, tocando-se nestes dias a alvorada ao som de muitas cachas, trombetas, marimbas e pífanos".[34] Um "bando", publicado pelo governador em 19 de outubro, dá bem a dimensão dos festejos:

> Porquanto, terça-feira, que se contam 21 do corrente, se dá princípio ao festejo que se faz em ação de graças a Deus Nosso Senhor pela vitória que foi servido dar-nos contra nossos inimigos. E porque é justo que se faça toda a demonstração de alegria e festejo, mando que, toda pessoa de qualquer qualidade e condição que seja morador nesta cidade, ponha luminárias nas janelas segunda-feira à noite, que se conta 20 do corrente, e as mais noites continuadas até a terça-feira, que se conta 28 do mesmo, o qual uns e outros farão sob pena de pagarem quatro dias e um mês de prisão nas fortalezas.[35]

O governador encomendou, ainda, um sem-número de sermões para a ocasião, pois muitos diziam que a vitória tinha sido um verdadeiro milagre. Outros, no entanto, à boca pequena, denominavam os sermões de "sátiras divinas"[36] e salientavam que não havia milagre nenhum e que seria praticamente impossível que tantos, ainda que mal organizados, não impingissem uma derrota a tão poucos.

Festas com cavalos, seguidas de procissões com carros do triunfo, também foram várias. Em uma delas se viam representadas as armas do governador se sobrepondo às armas do rei da França. O exagero era tanto que o impaciente Menezes registrou:

> Tudo parecia não só escusado, mas vergonha nossa, que tudo mostrava aos prisioneiros, uns se riam [...]; outros choravam,

não entendo por que, mas não lhes faltavam motivos: outros se escusavam de ver, e alguns perguntaram se Portugal havia conquistado a El-Rei de França e o despojara de seu Reino.[37]

Castro Morais não se esqueceu nem mesmo de regular a divulgação de notícias sobre o ocorrido. Junto com o bando em que determinava que toda a cidade celebrasse a vitória sobre os invasores, o governador mandou publicar outro em que proibia os cariocas de, ao relatar os acontecimentos a seus conhecidos, fazer referência às forças militares do Rio de Janeiro ou a seus meios de defesa, e os obrigava a submeter suas correspondências à supervisão dele próprio e de seus auxiliares. Aos transgressores, o bando impunha uma "multa de 100 mil réis" e uma pena de 24 meses de degredo nas "vilas do sul".[38]

Passadas as estafantes comemorações públicas, era imperativo tomar providências práticas. De saída, era preciso punir exemplarmente os negros pertencentes a Bento do Amaral Coutinho, que tinham traiçoeiramente servido de guias aos franceses. Um deles, sabia-se de antemão, escapara da cidade e buscara abrigo nos navios franceses ancorados em Ilha Grande. Os três capturados, no entanto, tiveram um castigo exemplar: foram enforcados e esquartejados, um no dia 8 e dois no dia 9 de novembro, e suas cabeças e quartos expostos no largo da Carioca e nos caminhos que levavam a Guaratiba e Ilha Grande.

Outro problema, esse de solução mais complexa e dispendiosa, exigiu uma ação imediata das autoridades cariocas: alimentar, vestir e dar um teto ao general Du Clerc, homem de difícil trato, e aos cerca de seiscentos prisioneiros franceses que estavam na cidade, que contava, então, com não mais que 12 mil habitantes. Do destino dos prisioneiros restaram poucas notícias. Passadas duas décadas do ocorrido, em 1730, no seu *História da América Portuguesa*, o baiano Sebastião da Rocha Pita relatou que, num primeiro momento, os franceses foram distribuídos, sempre com "sentinelas à vista", pelos prédios da Casa da Moeda, dos conventos e dos mosteiros; depois, "foram metidos na cadeia e nos calabouços da cidade, enviando-se a maior parte deles à Bahia e a Pernambuco".[39] Em uma carta de 1712 o governador da Bahia, Pedro de Vasconcelos, dá notícia de que cerca de cem prisioneiros estavam em Salvador, 37 deles instalados na Casa da Moeda. Castro Morais queria ver-se livre deles o mais cedo possível. Em agosto de 1711, pouco antes do segundo ataque de corsários franceses à cidade, o governador publicou um bando com o comunicado de que todos os prisioneiros franceses deveriam se apresentar no dia seguinte, "pelas três horas da tarde, no largo fronteiriço às casas do palácio",[40] para que pudessem ser distribuídos pelos navios da frota de Gaspar da Costa Ataíde, que rumava para Lisboa. A segunda invasão gaulesa, no entanto, ocorrida no mês seguinte, antes da partida da frota, abortou os planos do governador.

Três dos compatriotas de Du Clerc que invadiram o Rio de Janeiro cerca de uma dezena de meses mais tarde, Duguay-Trouin, François Parscau e Chancel de Lagrange, deixaram mais notícias sobre os combatentes. Os três discordam acerca do número de franceses que encontraram na cidade, aprisionados em vários imóveis: quinhentos segundo Duguay-Trouin, 350 aos olhos de Parscau, uma penca deles, inclusive, vivendo escondida no meio do mato. Lagrange estima que havia inicialmente cerca de seiscentos franceses no Rio de Janeiro, mas que uns duzentos pereceram nos meses que antecederam o desembarque de 1711, e outro tanto tinha sido deportado para a Bahia. O mesmo Lagrange, em um tom de indignação, agora comum a todos os seus camaradas, comenta que, ao libertar seus conterrâneos, causou-lhe revolta a situação em que se encontravam: "há dois dias esses homens não comiam nem bebiam e estavam irreconhecíveis, quer pela extrema miséria a que se achavam reduzidos, quer pelo cruel e desumano tratamento que lhes infligiram os portugueses, quer ainda pelo constante temor de serem degolados pela canalha".⁴¹

O francês lamenta, igualmente, que do total dos prisioneiros duzentos já haviam perecido e, por diversas vezes, cogitou-se matar os outros, ao que sempre se opuseram com veemência o bispo e o padre jesuíta Antônio Cordeiro.

Crime passional ou político?

Ainda mais polêmico foi o destino do "impetuoso" general Du Clerc. A princípio, instalaram o corsário no colégio dos jesuítas. Frei Francisco Menezes, que a pedido do governador o visitou logo no início da detenção, qualificou-o como um "homem terrível", que não havia desistido de seu intento mesmo depois de tudo o que passara. Menezes adverte que Du Clerc estava rodeado de subordinados tão determinados quanto ele e que o melhor seria não os deixar voltar para a França, enviando-os para Benguela, Caconda ou Moçambique, lugares "onde se vive pouco".⁴²

Castro Morais, se cogitou adotar a medida extrema sugerida por Menezes, não teve muito tempo para realizá-la. Du Clerc, desde o início de sua detenção, queria deixar a residência dos religiosos. Alegando impacientemente que "não se criara para frade",⁴³ o prisioneiro recorreu um sem-número de vezes ao governador, enviando cartas e petições ao mesmo tempo que pedia aos religiosos da Companhia de Jesus que interviessem em seu favor. Seu intuito era mudar para a residência do ajudante de tenente Tomás Gomes da Silva, localizada na rua da Quitanda. Tanto demandou o general que, em fevereiro de 1711, depois de breve passagem pelo forte de São Sebastião, recebeu autorização para mudar, ele e a guarda que o vigiava: dez soldados, comandados por um furriel-mor do terço velho.

Pouco durou o hóspede na morada do tenente. Em 18 de março, por volta de sete ou oito horas da noite, alguns homens "embuçados" aproximaram-se do local: dois permaneceram de vigia na porta, enquanto o restante adentrou o sobrado do tenente e assassinou Jean-François du Clerc. Os criados da casa anunciaram o crime e um dos vigias ainda conseguiu se atracar com um dos criminosos, mas foi incapaz de detê-lo ou identificá-lo. O tenente, dono da casa, logo que pôde tratou de informar o ocorrido ao governador, que imediatamente mandou retê-lo e enviou autoridades ao local na tentativa de apurar algo ou prender algum suspeito. Tudo em vão. Os guardas, quando interrogados — somente parte deles, pois a outra parte estava ausente do serviço —, disseram que não tinham visto ou notado absolutamente nada, até que os criados se puseram a gritar.

Em meio à boataria e ao alvoroço causados pelo crime, em 19 de março sepultaram Du Clerc na capela de São Pedro, ao lado da igreja da Candelária, segundo consta em seu atestado de morte, assinado pelo padre Bartolomeu de França. Quem o matou e quais as razões do assassinato, nunca se pôde apurar ao certo. O governador Castro Morais tratou de propagar a versão de crime passional. Du Clerc, homem galante e impetuoso, era acusado pela população, segundo o governador, de ser desbocado e de "insinuar-se, por meio de escritos, a mulheres honradas da cidade".[44] A ideia não era de todo descabida. O governador, por certo, não desconhecia a reputação que tinham na Europa o Rio de Janeiro e outras cidades da costa brasileira, cidades que se consolidavam no imaginário europeu como povoadas por mulheres levianas, deslumbradas por estrangeiros, e homens passionais, capazes de loucuras em nome do amor e da honra. A reputação era antiga — remontava ao século XVII — e durou por um tempo razoável, sobretudo entre os "galantes franceses".⁴⁵ Para se ter ideia, meio século mais tarde, em 1768, corria entre os navegadores a história de que o capelão da embarcação que acompanhava o navio do renomado Louis Antoine de Bougainville, ao passar pelo Rio de Janeiro, tal como Du Clerc, metera-se numa querela amorosa e acabara assassinado; seu colega de embarcação, o cirurgião François Vivez, revoltado, descreve o triste fim do capelão: "Em meio a esta tempestade, tivemos o azar de perder nosso capelão, que, depois de embarcar ao entardecer numa piroga, foi assassinado e lançado na água. Os seus algozes foram tão cruéis que chegaram a suspendê-lo pelos pés e afogá-lo na água a golpes de remo".⁴⁶

Castro Morais, pois, ao propagar a ideia de querela amorosa, semeava em terreno fértil. A versão do governador, porém, concorria com pelo menos mais duas. Uma, aventada por algumas autoridades portuguesas, dizia que o povo se revoltara contra o líder dos invasores — homem irascível que, mesmo depois de causar tanto dano à cidade, continuava "conspirando contra o povo", como salientara Menezes — e resolvera se vingar dele.

Outra, mais consistente e predominante entre os franceses e com forte repercussão em Lisboa, contava uma história mais espinhosa e verossímil: Du Clerc teria sido assassinado a mando das autoridades cariocas; o crime, de certo modo, era um crime político. Sua síntese encontra-se numa instrução enviada, em 1714, ao embaixador francês em Lisboa, o abade de Mornay, pelo ministro das Colônias da França, Phelipeaux de Pontchartrain, onde se lê: "A senhora Du Clerc enviou ao Rei uma petição [...] sobre o assassinato do seu marido por ordem do governador do Rio, que se serviu de seu sobrinho e filhos naturais para cometer o crime; a enormidade do crime é tal que sua majestade tem certeza de que o rei de Portugal dará a esta viúva toda a justiça que ela merece [...]".⁴⁷ A instrução seguia recomendando ao embaixador que intercedesse junto ao rei de Portugal para que concedesse uma pensão à viúva, de modo a retirá-la da condição de penúria em que se encontrava e reparar minimamente um crime cometido sob o beneplácito das autoridades coloniais, o que o tornava ainda mais hediondo.

A instrução é de 1714, mas os boatos certamente circulavam entre os prisioneiros franceses mantidos no Rio de Janeiro desde 1711 e, a partir de 1712, com a volta dos sobreviventes para a França, por toda a Europa. Castro Morais, que por certo conhecia esses boatos e sabia de sua repercussão na corte, tocava as investigações sem muita empolgação e contornava as reiteradas cobranças de Lisboa alegando sempre que, "por mais diligências que se fizessem, não se conseguia apurar nem as causas nem o autor do excesso".[48]

O caso Du Clerc encontrava-se neste pé, quando, em setembro de 1711, corsários franceses, agora comandados pelo renomado René Duguay-Trouin, atacaram mais uma vez o Rio de Janeiro.

iv. René Duguay-Trouin (1711)

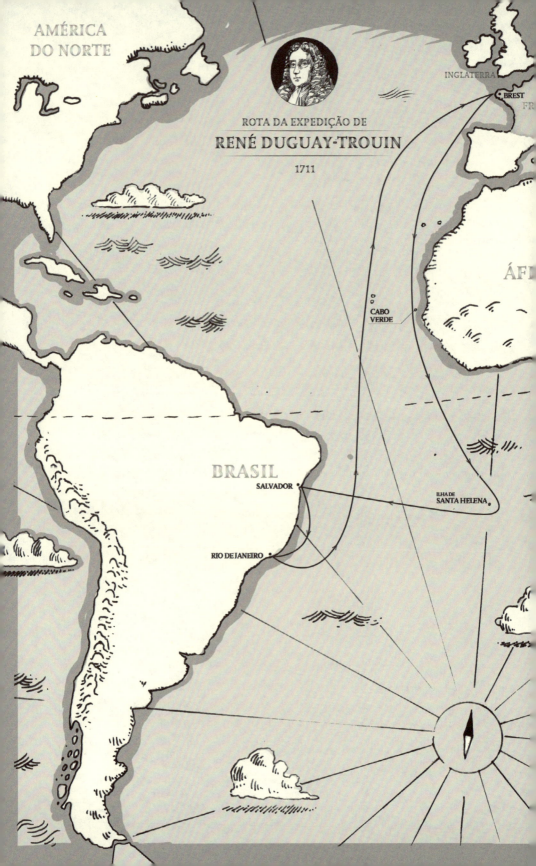

Vingador de Du Clerc?

Embora as circunstâncias levem a crer no contrário, René Duguay-Trouin não invadiu o Rio de Janeiro em 1711 atrás de vingança pela humilhação imposta a seus conterrâneos liderados por Jean-François du Clerc. E isso por várias razões. Du Clerc, vale recordar, era um corsário de pouca expressão, nascido na Martinica e ainda em início de carreira. Parece pouco provável que o grande Luís XIV e seu ocupado secretário da Marinha mobilizassem meios e gente para vingar um navegador inexpressivo, envolvido numa atividade em que a prisão e a morte eram possibilidades sempre presentes.

O assassinato ignominioso de Du Clerc, que envolvia autoridades graúdas do Rio de Janeiro, talvez pudesse despertar o sentimento de indignação do capitão Duguay-Trouin, conhecido por sua bravura e honradez. O capitão, todavia, desconhecia o ocorrido até colocar os pés em solo carioca. Dois de seus subordinados relatam sua surpresa ao saber, logo que entrou na cidade, do covarde assassinato de Du Clerc e do péssimo tratamento que havia sido dispensado aos prisioneiros. Um deles, o bretão Guillaume François Parscau, um guarda-marinha, escreve: "Na noite de nossa entrada, soubemos, por um português [...] que aprisionáramos em uma canoa que procurava chegar à cidade, que o senhor Du Clerc havia sido assassinado há cerca de dois meses".[1] O outro, o capitão Chancel de Lagrange, ainda é mais categórico: "Ignorávamos, ainda, o assassinato do senhor Du Clerc, crime cometido à sangue-frio, contra um prisioneiro de guerra e com o consentimento do governador, do ouvidor ou prefeito da cidade, dos coronéis e de todos os habitantes principais, como viríamos a provar".[2]

Foi somente depois de ouvir esses e outros relatos, a maior parte vinda da boca de prisioneiros franceses detidos na cidade, que o general escreveu ao governador Castro Morais cobrando providências e bravejando ameaças:

> Soube que o senhor Du Clerc foi assassinado [...]. Quero crer que o senhor é demasiado honrado para ter participado de um ato tão infame. Isso, contudo, importa pouco. É necessário que o criminoso me seja entregue, para que receba um castigo exemplar. Caso o senhor não cumpra espontaneamente essas exigências, nem os seus canhões nem a multidão que o acompanha impedir-me-ão de obrigá-lo a cumpri-las, levando o ferro e o fogo ao seu país.[3]

Ora, nem o governador entregou os criminosos aos franceses, nem Duguay-Trouin arrasou o país. O que parece indicar que o crime — conhecido no desenrolar da invasão — não causou tanta indignação ao francês e menos ainda constituía um motivo para sua presença em solo carioca.

Pode-se, enfim, cogitar que Luís XIV, por meios desconhecidos, soubesse do ocorrido em 1710 e tivesse realmente a improvável intenção de vingar a captura e a morte de um corsário iniciante, proveniente da Martinica e recém-ingressado na Ordem de São Luís. Por certo, servir-se para a missão de um navegador com a importância e a altivez de Duguay-Trouin, sem comunicar-lhe, seria, no mínimo, imprudente. Homens com a biografia do almirante não se prestavam a tais serviços.

Os anos de aprendizado e a conquista da fama

O CORSÁRIO RENÉ DUGUAY-TROUIN, PERSONAGEM central desta trama de 1711, era um homem de "qualidade" e, ao contrário de seu antecessor, tinha uma história de vida conhecida e admirada. O navegador nasceu na cidade portuária de Saint-Malo, cidade de corsários, em 10 de junho de 1673; nesse mesmo mês, destacam seus admiradores, a Marinha de Luís XIV conquistava três importantes vitórias sobre a armada holandesa, prenunciando a glória que coroaria a carreira marítima do recém-nascido. Provinha de uma família de armadores. O pai, Luc Barbinais, segundo conta René em suas *Memórias...*, sempre armara e comandara navios — "tanto para o comércio quanto para a guerra — e adquirira a reputação de ser um bravo homem e um hábil navegador".[4] Apesar disso, o jovem René foi enviado para estudar retórica em Rennes e filosofia em Caen, com o intuito de seguir a carreira eclesiástica. Mas, aos dezessete anos, logo depois da morte do pai, o jovem, atraído pela boemia e pelas armas, abandonou os estudos. Em 1689, a mãe, furiosa com seus descaminhos, tratou de embarcá-lo num navio corsário que deveria dar combate aos ingleses no canal da Mancha. Duguay-Trouin, em suas nada modestas *Memórias...*, narra o ocorrido com as seguintes cores: "em 1689, tendo sido declarada a guerra à Inglaterra e à Holanda [Guerra dos Nove Anos], pedi e obtive de minha família a permissão de embarcar, como voluntário, sobre uma fragata chamada *Trindade*, de dezoito canhões, que foi armada para ir em corso contra os inimigos do Estado".[5]

A aventura a bordo do *Trindade*, na companhia de 128 marinheiros, durou até 1691. A viagem inicial não correu de feição para o jovem marujo: da partida ao retorno, Duguay-Trouin foi assolado pelo "mal do mar" e quase não conseguiu se manter em pé. As missões subsequentes, ao contrário, despertaram no rapaz o gosto pela Marinha de guerra e pela atividade corsária. Em meados de 1691, de volta a Saint-Malo, René alista-se como voluntário no navio *Grenedan*, armado por seu irmão mais velho, Luc Barbinais Trouin — que substituíra o pai na liderança dos negócios da família —, em parceria com outro armador da cidade. Uma história desses tempos, relatada em suas *Memórias...*, dá bem uma ideia da elevada conta em que o jovem marinheiro se tinha:

> Fiquei muito contente por me distinguir no encontro que tivemos com quinze embarcações inglesas de longo curso; eram muito portentosas, e a maior parte dos oficiais julgou que eram navios de guerra, de modo que o capitão titubeou em atacar. Malgrado ser um simples voluntário, ele viu-se obrigado a guardar alguma deferência por mim, por causa de minha família, que era dona da fragata. O capitão sabia também que, além disso, apesar de muito jovem, eu tinha um olhar preciso para identificar as embarcações.[6]

De qualquer modo, convencido ou não, a bravura e a competência que demonstrou durante as ações do *Grenedan*, relatam os contemporâneos, levou sua família a oferecer-lhe, ainda em 1691, o comando de uma pequena e mal conservada fragata, a *Danycan*. A partir daí, a carreira de Duguay-Trouin no corso caminharia num crescendo; depois da fragata *Danycan* o capitão comandou, entre 1694 e 1697, o *Coëtquen*, o *Le Profond* — que levou desassossego às costas portuguesas —, o *L'Hercule*, o *La Diligente* — no comando do qual caiu prisioneiro dos ingleses no porto de Plymouth em 1694 — e o *Saint-Pareil*.

Em meados de 1697, depois de uma sangrenta e memorável batalha contra uma armada holandesa, Duguay-Trouin é incorporado ao Estado e, ainda que continue a capitanear navios armados quase sempre por particulares, recebe a patente de capitão de fragata real. Em setembro do mesmo ano, contudo, Luís XIV assina o Tratado de Ryswick e põe fim à Guerra dos Nove Anos, deixando ao recém-incorporado capitão bastante tempo livre para se dedicar ao estudo da arte da navegação e à família.

A paz entre as potências europeias, no entanto, duraria pouco, e em 1702 eclodia a Guerra da Sucessão espanhola, opondo mais uma vez franceses a ingleses, holandeses e portugueses. Durante as hostilidades, os serviços do capitão foram sobremodo requisitados: a partir de 1702, capitaneando a fragata *Le Jason*, foram inúmeras as expedições de corso de que participou, a maior parte delas no canal da Mancha, próximo ao porto de Plymouth, mas também na costa portuguesa, alcançando a embocadura do Tejo. Foi numa dessas incursões, em 1705, que perdeu um de seus irmãos, o capitão Nicolas Trouin, morto em combate. Triste e alquebrado, Duguay-Trouin, depois de salientar que o irmão se comportara de maneira heroica e caíra somente no final da batalha, ao ser atingido por "um tiro que lhe partiu a pélvis", registrou em suas *Memórias*...:

Corri ao seu navio com tanta inquietude quanto diligência; mandei remover o corpo e colocá-lo sobre um colchão da minha chalupa; eu mesmo o transportei para a terra, onde lhe dei todos os socorros possíveis. Meus cuidados e afeto não puderam, contudo, salvá-lo: ele faleceu poucos dias depois, com uma firmeza e resignação exemplares.[7]

Ao término de 1705, no entanto, Duguay-Trouin recebeu uma notícia alvissareira: fora promovido a capitão de navio da Marinha real. A partir daí a carreira do corsário se liga estreitamente ao Brasil: entre sua promoção e 1709, por três vezes consecutivas Duguay-Trouin atacou a frota do Brasil, malogrando em todas as tentativas. Em 1706, a caminho de Cádiz para auxiliar a defesa do porto espanhol — que estava cercado por navios ingleses —, o capitão deparou, a cerca de cem quilômetros de Lisboa, com uma esquadra de duzentas velas, escoltada por seis navios de guerra. O corsário tinha ciência de que era impossível, contando somente com as três embarcações que comandava, atacar uma frota tão grande, mas observou que um agrupamento menor — com vinte velas, guardado por apenas um navio de guerra — poderia ser isolado do restante, o que lhe permitiria capturar ao menos um dos navios de carga. O plano, porém, "por uma infinidade de circunstâncias as mais infelizes e inesperadas", fracassou e, lamenta o capitão, "perdi uma das mais belas ocasiões de minha vida. A fortuna recusou favorecer-me com a tomada dessa embarcação que, sozinha, era de um valor imenso".[8]

Em 1707, com o beneplácito de Luís XIV — que acabara de lhe conceder o título de cavaleiro da Ordem de São Luís — e com o auxílio do irmão, Luc de Barbinais Trouin, e de outros ricos comerciantes de Brest, o capitão armou uma esquadra de seis embarcações e partiu rumo à costa portuguesa com o propósito de, uma vez mais,

Navios ingleses na costa de Pernambuco.

Navios da realeza inglesa, Ganges *e* Sapphire, *em Pernambuco, 1829* (aquarela sobre papel)/ Art Images Archive / Glow Images.

Naufrágio, o grande terror dos mares.

Joseph Mallord William Turner. *O naufrágio do Minotauro* / Art Images Archive / Glow Images.

Navios franceses combatem os ingleses na ilha de São Domingos, em 1757.

Tomada do Cabo Francês pela armada francesa, 1802 (gravura) (foto p&b). Biblioteca Nacional, Paris, França / Archives Charmet / Bridgeman Images.

Partida de monção de Porto Feliz, no rio Tietê, rumo a Cuiabá, no século XVIII.

José Ferraz de Almeida Júnior. *Estudo da partida da monção*. Acervo da Pinacoteca do Estado de São Paulo, Brasil. Transferência do Palácio do Governo, 1997. Crédito fotográfico: Isabella Matheus.

O corsário inglês Thomas Cavendish.

Retrato de Thomas Cavendish (1560-92) (gravura) (foto p&b), Coleção privada / Bridgeman Images.

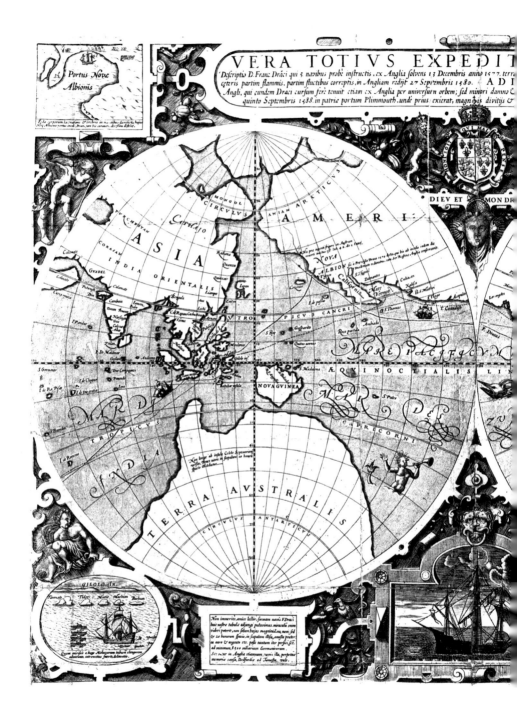

Mapa-múndi *Vera Totius Expeditionis Nauticae*, de 1595.

Mapa-múndi *Vera Totius Expeditionis Nauticae*, mapeando a circum-navegação por (esquerda) sir Francis Drake (1540-96) e (direita) Thomas Cavendish (1560-92) c. 1595 (gravura) (foto p&b), Hodius, Jodocus (1567-1611)/Coleção privada/Bridgeman Images.

Duguay-Trouin conta seus feitos a Luís XIV.

Duguay-Trouin (1673-1739) contando suas explorações navais para Luís XIV, gravura de Madame de Cernel (1753-1834). 1789 (gravura colorida). Art Images Archive / Glow Images.

Thomas Cavendish no extremo sul do continente americano, durante sua viagem de circum-navegação.

Expedição de Thomas Cavendish a *Americae* por Theodor de Bry, c. 1593 (gravura). Bry, Theodore de (1528-1598) / Coleção privada / Bridgeman Images.

Descobridores ingleses célebres: capitão John Davies, sir Walter Rawleigh, sir Hugh Willoughby e capitão Smith.

© National Maritime Museum, Greenwich, Londres.

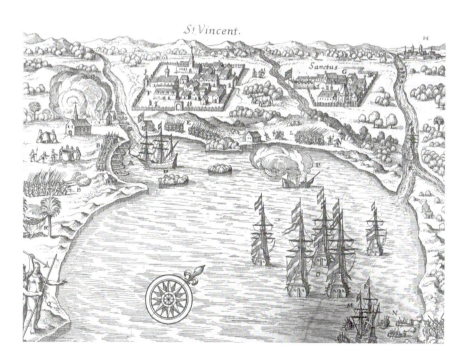

Mapa de São Vicente, do século XVI.

A frota de Joris van Spilbergen (c. 1568-1620) chegando ao Brasil por São Vicente, In: *Newe Welt und Americanische Historien*, de Johan Ludwig Gottfried, publicado por Mattaeus Merian, Frankfurt, 1631 (gravura). Art Images Archive / Glow Images.

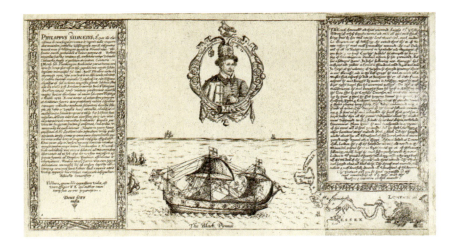

Black Pinnace: um dos navios de Thomas Cavendish.

Black Pinnace (navio de viagem de Cavendish). In: *Sequitur celebritas et pompa funeris*, Thomas Lant, 1587 / Folger Shakeaspeare Library.

Mapa de Olinda, de 1586.

Capitania de Pernambuco. In: *Roteiro de todos os sinais, conhecimentos, fundos, baixos, alturas, e derrotas que há na costa do Brasil desde o cabo de Santo Agostinho até ao estreito de Fernão de Magalhães*. Datado de e c. 1586 / Biblioteca da Ajuda – Lisboa. Reprodução da edição fac-similar do manuscrito. Lisboa: Tagol, 1988.

O corsário inglês sir James Lancaster.

© National Maritime Museum, Greenwich, London.

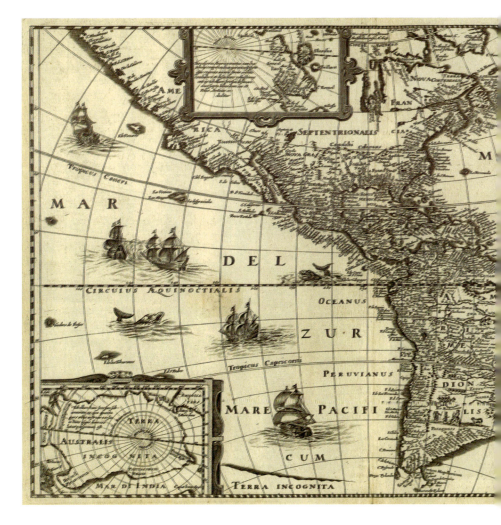

Mapa da América do século XVII, de Jodocus Hondius.

Divisão de mapas e geografia, Biblioteca do Congresso. Divisão de impressões e fotografias. Washington. D. C.

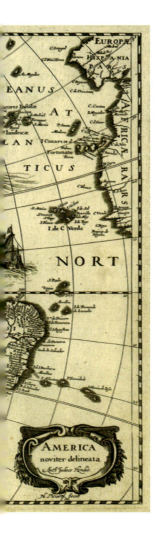

O panfleto inglês *Allarums*, comemorando/contando/narrando a invasão de Pernambuco por James Lancaster.

Henry Roberts. "Lancaster, His Allarums". Londres c. 1600. Folha de rosto colorida do volume 2 da edição latina de *Blaue's Atlas*, 1965.

Rainha Elizabeth I, da Inglaterra, incentivadora das navegações.

Elizabeth I, retrato da marinha, c. 1588 (óleo sobre tela), Coleção privada / Bridgeman Images.

O espanhol Filipe II (1527-1598), rei da Espanha a partir de 1556, e de Portugal a partir de 1580.

Filipe II (1527-1598) da Espanha (óleo sobre tela), Mor, sir Anthonis van Dashorst (Antonio Moro) (1517/20-76-77) / Prado, Madri, Espanha / Bridgeman Images.

O cultivo de cana-de-açúcar pelos holandeses nas Antilhas.

Plantação de açúcar, Antilhas (gravura colorida). Fumagalli, Paolo / Coleção privada / Coleção The Stapleton / Bridgeman Images.

Combate entre franceses e ingleses em Léogâne, na ilha de São Domingos.

Ataque militar francês e combate de Léogâne. São Domingo. Biblioteca do Congresso, Divisão de impressões e fotografias, Washington, D.C.

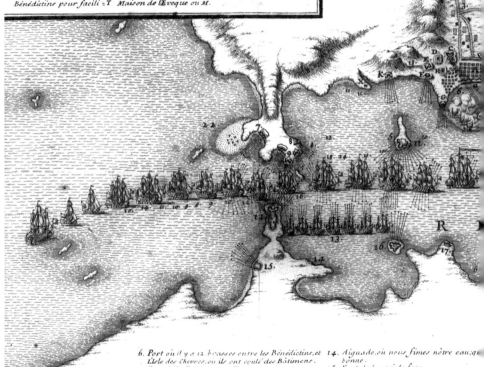

PLAN DE LA BAYE, ET DE LA VILLE DE RIO-JANEIRO,

Située par les 23. degrez de Latitude Sud, et 337. degrez 20. Minutes de Longitude, prise par l'Escadre commandée par M. Duguay Trouin, et armée par des particuliers de St. Malo, en 1711.

A. La Ville.
B. Les Bénédictins où il y a un fort de 4. bateries.
C. Fort St. Sebastien.
D. La vieille Paroisse.
E. Fort St. Jacques.
F. Fort St. Alouzy.
G. Fort de la Misericorde.
H. Les Jesuites.
I. L'Isle de Cabrack ou des chevres où nous établimes des bateries qui contenoient 18. Canons de 24. et de 18. et 5. Mortiers.
k. Baterie qui n'est pas finie.
L. Le Mars qui canonoit les Bénédictins pour faciliter la descente.
M. Baterie de 10. Canons que M. de Beauve fit faire.
N. Trois Vaisseaux qui s'é chouèrent et un autre sur la pointe des Bénédictins, et se brulèrent.
O. Magazin d'Agreils et de sucre qu'ils firent sauter.
P. Fortin où il y a 2 Canons.
Q. Retranchemens autour de la Ville où il y a 50. Canons.
R. Second débarquement pour l'attaque générale.
S. Poste que nous occupions au premier campement.
T. Maison de l'Eveque où M. Duguay prit son camp.
V. Endroit où nous fimes la descente Générale.
X. Aiguade qu'on appelle la Quarieoque.
1. Premier camp des ennemis.
2. Plaine marécageuse où nous nous mimes en bataille et où le Gouverneur capitula.
3. Bataillons qui sortirent de la Ville pour aller aux ennemis.
4. Riviere où les Vaisseaux de guerre font leur eau.
5. Isle et Fort de Villegagnon.

6. Port où il y a 12. brasses entre les Bénédictins, et l'Isle des chevres, où ils ont coulé des Bâtimens.
7. Fort de la Praye vermeille.
8. Fort Theodose.
9. Fort St. Jean, de 3. bateries.
10. Premier mouillage hors la portée du Canon.
11. Second mouillage après la Ville prise.
12. Fort St. Croix.
13. Quatre Vaisseaux de guerre Portuguais, depuis 56. pieces de Canon, jusqu'à 74, et 3. Fregattes de 40. qui deffendoient l'entrée du Port, qui furent tous brulez.
14. Aiguade, où nous fimes notre eau, qui bonne.
15. Fort de la pré de fore.
16. Fort de bon voyage.
17. Fort.
18. Aqueduc.
19. Isle du Gouverneur.
20. Navire Anglois de 56. Canons, qui s'est
21. Rocher a fleur d'eau.
22. Banc à l'entrée du Port.
23. Isle où nous mimes les malades.

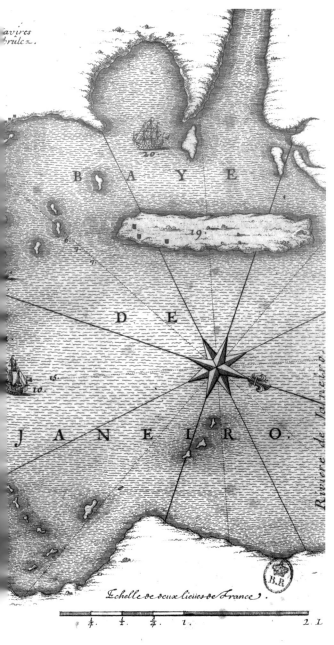

Entrada da esquadra de René Duguay-Trouin na baía de Guanabara.

Les campagnes de Duguay-Trouin Rio de Janeiro, gravura, Pierre Mortier, 1756, coleção particular / Roger-Viollet / Glow Images.

O corsário francês René Duguay-Trouin.

Retrato de René Duguay-Trouin (1673-1736) 1736 (óleo sobre tela), Museu de história de Ville, Saint-Malo, França / Giraudon / Bridgeman Images.

tentar interceptar a frota do Brasil. O mau tempo, entretanto, acrescido de um atraso da frota, impediu que o capitão permanecesse à espera, e os navios lusitanos puderam chegar sãos e salvos a Lisboa. Desapontado, o capitão dirigiu-se para as proximidades do estreito de Gibraltar, onde, como prêmio de consolação, conseguiu apresar duas embarcações inglesas ricamente carregadas. Ao retornar ao porto de Brest, na entrada do canal da Mancha, o corsário ainda teve a sorte de capturar, depois de dura batalha, mais quatro embarcações inglesas.

Em 1709, em meio a uma crise sem precedentes da Marinha francesa, Duguay-Trouin arrisca uma parte considerável da fortuna familiar, rearmando seus navios e armando mais duas embarcações, para, mais uma vez, ir ao encalço da cobiçada frota do Brasil. A esquadra, preparada em segredo pelo irmão Luc Barbinais, pretendia alcançar os Açores antes dos navios portugueses — que costumavam efetuar lá uma parada —, aguardá-los de tocaia e desferir-lhes um ataque certeiro. Mas as coisas não correram como o planejado. Os franceses partiram do forte de Berthaume em julho de 1709 e, ao passarem pelas proximidades de Lisboa, souberam, por meio de um navio sueco que saía do porto, que a esquadra de guerra que escoltaria a frota do Brasil partira havia tempos e já se encontrava nos Açores. O capitão zarpou, então, da costa portuguesa e instalou-se a oeste da ilha Terceira, nos Açores, onde pretendia vigiar os movimentos da esquadra de guerra e aguardar a chegada da frota. Durante três meses, impacientemente o corsário aguardou, e nada da frota. Desolados, carentes de víveres e de água, os capitães franceses, convocados por Duguay-Trouin, não sabiam o que fazer: uns julgavam prudente atacar imediatamente a esquadra de guerra, que se encontrava ancorada na ilha de São Miguel, e aguardar aí a chegada da frota; outros, entretanto, achavam mais prudente aguardar a frota onde estavam e não enfrentar um duplo desgaste. Depois de quatro dias de hesitação, o capitão resolveu atacar a esquadra em São Miguel. Mas já era tarde, pois ela partira.

Inconformados, os franceses resolveram invadir a cidade de Ponta Delgada. Lá souberam, por uns poucos prisioneiros abandonados na cidade, que a esquadra partira, mas que a frota do Brasil ainda não havia passado — nem tudo, pois, parecia perdido. A sorte, porém, não estava do lado do corsário francês: atingida por uma violenta tempestade nos Açores, sua esquadra, muito danificada, se dispersou, e a frota portuguesa ancorou tranquilamente nos portos de Lisboa e das cidades vizinhas. A Duguay-Trouin restou apenas voltar para Brest, de mãos vazias e com a esquadra em frangalhos, e arcar com um prejuízo financeiro enorme, que quase arruinou sua família. Em suas *Memórias*..., o corsário, sobre o momento delicado pelo qual passava, confessa: "A completa perda dos navios que tínhamos armado, empreendimento no qual arriscamos, meu irmão e eu, uma boa parte de nossa pequena fortuna, impossibilitou-nos de continuar a armar grandes esquadras".[9]

As notícias somente começaram a melhorar em finais de 1709, depois que Luís XIV lhes concedeu, a ele e ao irmão Luc, cartas de nobreza. A elogiosa missiva, garantindo-lhes a distinção, dá uma clara ideia da importância que tinham Duguay-Trouin e sua família na corte do Rei Sol. O rei, depois de destacar como era cara aos súditos aquela honra, escreve:

> Estes dois irmãos, animados pelo exemplo de seu avô e de seu pai [...], tudo fizeram para merecer a graça que hoje lhes concedo. O senhor Luc Trouin de la Barbinais, depois de nos servir como cônsul [...] e ter representado os nossos interesses com o maior zelo possível, se instalou na nossa cidade e porto de Saint-Malo e passou a armar navios, destinados tanto a promover o desenvolvimento do comércio dos nossos sú-

ditos, quanto a retardar o dos nossos inimigos; [...] até o presente, ele tem, às suas próprias expensas, armado esquadras consideráveis para o comércio e para fazer guerra aos inimigos. É no comando desses navios e dessas esquadras inteiras que René Trouin du Guay, seu irmão, tem mostrado que é digno de ser agraciado com grandes honras, [...] pois, desde que se incorporou à marinha, capturou mais de trezentos navios mercantes e vinte navios de guerra aos corsários inimigos. [...] Por essas e outras razões [...] fazemos, pela presente, assinada pelas nossas mãos, os ditos Luc Trouin de la Barbinais e René Trouin du Guay, seus filhos e descendentes, nascidos ou a nascer de legítimo matrimônio, nobres [...].[10]

A decisão de atacar o Rio de Janeiro

A CARTA DE NOBREZA EXPEDIDA por Luís XIV foi imprescindível para a família de Duguay-Trouin atrair investidores — que andavam sumidos desde a malograda empreitada dos Açores — e reerguer-se. Ao longo de 1709 e 1710, todavia, os empreendimentos marítimos do capitão ainda foram bastante modestos: esquadras pequenas, de apenas cinco ou seis navios, sempre os mesmos, e ações circunscritas à região do canal da Mancha. O corsário, no entanto, não desistira de seu antigo intento. Ao contrário, cada vez mais, a imagem das valiosas mercadorias transportadas pela frota do Brasil — que lhe escapara por três vezes — alimentava seus sonhos de resgatar a fortuna da família e tornar-se um homem rico.

A intenção, pois, de atacar o porto de origem daquelas riquezas que Portugal recebia anualmente há tempos perseguia o respeitado Duguay-Trouin. Certamente, ele sabia do ataque perpetrado por Du Clerc em 1710; sabia, igualmente, que a expedição malograra por incapacidade de Du Clerc, mas também por insuficiência de meios (navios e soldados); e sabia, ainda, pelas notícias que corriam na Europa, que Portugal, depois do ataque, tratara de reforçar as defesas da cidade. Tudo isso deve ter pesado na elaboração de seus planos, mas não em sua decisão de invadir o local onde ficavam depositadas as mercadorias transportadas pela frota do Brasil, a cidade do Rio de Janeiro. Decisão que tinha sido tomada havia tempos, provavelmente pouco depois de sua infrutífera e dispendiosa passagem pelos Açores. Apesar das evidências, no entanto, o vaidoso Duguay-Trouin, consciente de que escrevia para a posteridade, ao comentar o caso Du Clerc e o quanto as injustiças contra ele cometidas tinham lhe causado revolta e pesado em sua decisão de invadir o Rio de Janeiro, anotou em suas *Memórias...*:

> Todas estas circunstâncias, somadas à esperança de me apossar de uma imensa presa e, sobretudo, à honra que poderia adquirir levando adiante empresa tão difícil, despertaram em meu coração o desejo de levar a glória das armas do Rei a climas distantes e de punir a desumanidade dos portugueses com a destruição de sua florescente colônia.[11]

A indignação, se avaliada à luz do que se passou no Rio de Janeiro, é retórica e afetada. Uma coisa, no entanto, é verdade: o capitão sabia que era imprescindível aprender com os erros cometidos por Du Clerc e resguardar-se de cometê-los, ainda mais agora que Portugal estava de sobreaviso e que a condição financeira de sua família não suportava mais nenhuma perda. Daí o cuidado com que estudou a situação e montou sua esquadra. De saída, empenhou-se em levantar o capital necessário para o empreendimento, cerca de 12 mil libras. Luís XIV e seu ministro Pontchartrain, a quem o corsário primeiro recorreu, eram simpáticos ao plano de Duguay-Trouin, mas o estado em que se encontrava a Marinha real não lhes permitia dar qualquer ajuda financeira para armar uma esquadra com tais dimensões. Foi mais uma vez ao irmão Luc Trouin e a três amigos ricos de Saint-Malo — Gallet de Coulanges, Beauvais-Lefer e Saudre-Lefer — que o corsário teve de recorrer. O capital reunido pelo grupo, acrescido pelos investimentos de mais quatro negociantes de Saint-Malo e de Louis Alexandre de Bourbon, conde de Toulouse e filho legítimo de Luís XIV — que se empolgou com o empreendimento e fez pesados aportes financeiros para viabilizá-lo —, permitiu a Duguay-Trouin montar uma esquadra com as dimensões que julgava ideais para o ataque: eram nada menos que dezessete embarcações, entre navios, galeotas e fragatas — com víveres para oito meses, munições, tendas, ferramentas e tudo mais o que era necessário para acampar e fazer um cerco que poderia ser longo —, e 5.824 homens, recrutados majoritariamente na Bretanha.

A maior parte da frota foi armada em Brest, mas, para não colocar os inimigos em sobreaviso, muitas embarcações foram armadas em segredo nos portos vizinhos — La Rochelle, Rochefort e Dunquerque. Apesar de tantas precauções, a grande movimentação dos armadores franceses não passou despercebida no estrangeiro. Preparava-se, então, na Inglaterra, uma esquadra de vinte navios de guerra para bloquear o porto de Brest. Duguay-Trouin, que a princípio pretendia sair com toda a sua esquadra, antecipou-se aos ingleses e, em 3 de junho de 1711, partiu do porto da cidade e desceu a costa francesa, reunindo pelo caminho as embarcações que faltavam. Dois dias mais tarde, inutilmente, a frota de guerra inglesa surgiu diante de Brest. A essa altura, o capitão, suas dezessete embarcações e seus quase 6 mil homens já estavam, em segurança, a caminho do porto do Rio de Janeiro.

Informa o capitão, em suas *Memórias...*, dando início à narrativa daquela que seria sua última e mais grandiosa aventura e que garantiria seu lugar no panteão dos grandes navegadores, que a portentosa frota por ele comandada se lançou ao mar, depois de passar pelo porto de La Rochelle, em 9 de junho; no dia 21 o capitão resolveu apoderar-se de uma pequena embarcação inglesa que saía do porto de Lisboa e anexou-a ao comboio. Em 9 de julho a esquadra alcançou a ilha de São Vicente, no arquipélago de Cabo Verde, onde, com muita dificuldade, conseguiu recolher algumas provisões e renovar os estoques de água. A única vantagem da parada, segundo o capitão, foi ter-lhe permitido "desembarcar as tropas e ensaiar a ordem e disposição que deveriam observar no desembarque".[12]

Rio de Janeiro, cidade sitiada

A frota ultrapassou a linha do Equador no dia 11 de agosto, depois de trinta dias de tempo adverso; no dia 27 avistou a Bahia de Todos os Santos e, no dia 12 de setembro, numa manhã coberta por um espesso nevoeiro, entrou, como comenta o capitão, sem grande resistência e com poucos danos, na baía de Guanabara:

> O sucesso dessa operação dependia, obviamente, da rapidez, da capacidade de não dar ao inimigo tempo para preparar-se. Tendo isso em conta, tratei de enviar a todos os navios da frota as ordens que cada um deveria observar: ao cavaleiro de

Courserac, que conhecia um pouco a região, ordenei que colocasse o seu navio à frente da esquadra, e aos senhores de Gouyon e de Beauville, que o seguissem.[13]

O guarda-marinha Parscau conta uma história ligeiramente diferente; segundo o militar, o capitão De Terville, que já havia estado na baía de Guanabara,

> vendo a indecisão do nosso general, assegurou-lhe que, se ele deixasse passar uma ocasião tão favorável para entrar, não encontraria talvez outra igual, pois era muito raro soprar naquela costa uma brisa como a que tínhamos. Tal ponderação foi determinante, ou ao menos influiu muito, na decisão do senhor Duguay-Trouin.[14]

Lagrange, outro militar francês que deixou um registro escrito da invasão, repete Duguay-Trouin, mas acrescenta: "Ainda que o mar estivesse agitado, tudo parecia correr de modo a favorecer o nosso feliz sucesso. Uma espessa bruma veio nos ajudar ainda mais e fez com que o inimigo se apercebesse da nossa presença demasiado tarde".[15]

Ao contrário de Du Clerc, que hesitara em entrar na baía e dera tempo aos cariocas para se armarem, Duguay-Trouin não vacilou e, mesmo depois de uma longa viagem, às quatro horas da tarde daquele dia 12, estava com toda a sua esquadra dentro da baía de Guanabara e fora do alcance dos canhões portugueses. O próprio Lagrange se declarou surpreso com a rapidez e a facilidade — a frota não sofreu quase nenhum dano — com que os franceses entraram na baía, supostamente o porto mais bem guardado da colônia, sobretudo depois dos avisos que "os habitantes há dois meses receberam de Lisboa, dando conta do armamento da nossa esquadra, e do fato de terem fundeado os seus navios de guerra, sob a proteção das fortalezas, no intuito de barrar a nossa entrada [...]".[16] Lagrange atribui o ocorrido ao vento excepcionalmente favorável e ao nevoeiro, mas, sobretudo, ao senso de oportunidade e competência dos franceses. A mesma opinião têm os outros dois testemunhos franceses, o do próprio Duguay-Trouin e o de seu guarda-marinha Parscau.

Opinião contrária, no entanto, tem Joseph Collet, um comerciante falido que passava pelo Rio de Janeiro a caminho de Sumatra, onde assumiria, a mando da Companhia das Índias Ocidentais, o cargo de governador do forte de York. Collet, pego no meio do fogo cruzado, comentou a batalha numa pequena passagem de sua narrativa de viagem, e foi taxativo quanto à ineficiência e covardia dos portugueses:

> Quatorze dias depois da nossa chegada, o senhor Duguay-Trouin, à frente de quinze navios de guerra franceses, algumas fragatas e duas bombardas, entrou no porto e, em menos de uma hora, dele assenhorou se [...]. Em três dias, os franceses se apossaram da cidade e de todos os fortes, os quais eram bastante poderosos. As forças terrestre e naval francesas perfaziam cerca de 3.500 homens. Os portugueses, por seu turno, contavam com mil soldados das tropas de linha, duzentos marinheiros, 4 mil cidadãos armados e entre 7 e 8 mil negros. Todos, depois de uma pequena canhoneada e sem que houvesse um único ferido, deixaram a cidade durante a noite, mandando à frente suas mulheres e riquezas. E assim procederam não por falta de armas ou munição, que foi deixada para trás em grandes quantidades.[17]

Outro de opinião muito próxima à do inglês Collet é o alemão Jonas Finck, um missionário tipógrafo a caminho da Índia, onde integraria a missão pietista do missionário Bartolomeu Ziegenbalg. Finck também ficou surpreso com o fato de a "frota francesa, composta por quinze velas, levar uma hora para entrar na embocadura do rio e, duas horas depois", lançar "âncora no lugar mais seguro do porto".[18] Causou-lhe ainda maior espanto a incompetência das tropas portuguesas e o desleixo com que combateram:

> esperávamos que os sitiados organizassem uma poderosa ação defensiva, pois estavam bem aparelhados para tal. Entretanto, apesar de estarem em número muito superior e abastecidos com tudo o que era necessário, os portugueses renderam-se após três dias de bombardeamento e deixaram a cidade, repleta de ouro e prata, à mercê do inimigo. Eles chegaram mesmo a pôr fogo em três dos seus próprios navios de guerra, sendo que um quarto afundou após se chocar com a terra. [...] As baixas de ambos os lados foram poucas, quase não se ouviu falar em mortes.[19]

Auxiliados ou não pela pouca celeridade e pelo pouco espírito combativo dos portugueses, o fato é que, sem muito esforço e dano, os subordinados de Duguay-Trouin entraram na baía e, ao que parece, quase sem resistência, tomaram a cidade. Os franceses, naturalmente, não viram as coisas de maneira tão crua como Collet e Finck. Interessados em valorizar moralmente a lucrativa vitória, Duguay-Trouin, Lagrange e Parscau trataram de introduzir mais colorido, aventura e perigo nas descrições que deixaram da aventura.

O ataque inicial, segundo Duguay-Trouin, não foi de todo desprovido de riscos e perdas; ainda que a rapidez e a eficiência francesas levassem a crer no contrário, a operação pusera trezentos homens — Parscau fala em sessenta baixas — fora de combate, pois a baía contava com uma entrada estreita e o porto era "defendido por uma quantidade prodigiosa de artilharia e por quatro navios e quatro fragatas de guerra enviadas pelo Rei de Portugal".[20] Parscau vai mais longe e salienta que, tantos obstáculos "não conseguiram perturbar a bela ordem que foi observada por toda a esquadra, que fez uma entrada digna da audácia e do orgulho franceses".[21] Lagrange segue o mesmo tom, mas diferentemente de seu capitão, fala também em cerca de sessenta baixas somente durante a operação de entrada, entre mortos e feridos.

Uma vez no interior da baía, os franceses observaram "que não havia um único lugar onde fosse possível remover terra, derrubar árvores e colocar canhões" que tivesse passado despercebido aos portugueses, mas observaram também que os precavidos lusitanos eram "mais hábeis em se fortificar do que em se defender".[22] Depois de um breve conselho de guerra, os invasores deliberaram atacar a ilha das Cobras, o que aconteceu no dia 13 de setembro, pela madrugada. Ao que tudo indica, a resistência portuguesa foi pífia, pois o próprio Parscau, depois da tomada da ilha, comenta que "teria sido muito fácil defender a posição, caso os portugueses tivessem se empenhado em fazê-lo. Os franceses, diz o guarda-marinha, "não encontraram nenhuma oposição, nem na praia nem no alto da ilha."[23] Mais adiante em sua descrição da batalha, o mesmo Parscau, ao comentar outro erro estratégico cometido pelos lusitanos, complementa o raciocínio: "Repetidas vezes, no decorrer da campanha, pudemos observar que o inimigo conhecia bem as posições que lhe seriam vantajosas, mas carecia de coragem para defendê-las".[24]

Estabelecidos na ilha das Cobras, os franceses instalaram aí sua artilharia e passaram a bombardear sistematicamente a cidade. O capitão Lagrange, atento à importância estratégica do lugar, avalia que sua perda "foi decisiva para a derrota dos portugueses, pois instalamos aí [...] três morteiros e uma boa bateria de canhões".[25] De fato, a tomada da ilha das Cobras parece ter instalado o medo e a desordem entre os combatentes liderados por Castro Morais, pois, pouco depois de desembarcarem e de iniciarem os disparos contra a cidade, os franceses facilmente se apossaram de um navio de cinquenta canhões que se achava encalhado numa praia próxima à ilha. Os portugueses, em pânico, começaram a recuar e inexplicavelmente puseram fogo em dois outros navios seus que se encontravam próximos — e tudo isso antes das nove horas da manhã. O dia, segundo Parscau, seguiu, de um lado, com os franceses preparando o desembarque, canhoneando posições inimigas e movimentando tropas, e, de outro, com os portugueses bombardeando incessantemente a ilha das Cobras e outros lugares ocupados pelos franceses, conforme explicou Duguay-Trouin em suas *Memórias...*:

> Vendo-nos senhores da ilha, os portugueses, durante todo o dia, fizeram sobre ela fogo intenso. O forte Vermelho bombardeou-a impiedosamente, as balas, no entanto, passavam muito alto e caíam no mar. O forte da Misericórdia e as baterias dos Beneditinos também não economizaram munição.[26]

O dia 14 de setembro começou pleno de ação no Rio de Janeiro. Ao longo da madrugada, os franceses simularam desembarques em vários pontos da costa, de modo a confundir o adversário. Logo pela manhã, no entanto, o capitão colocou em terra, nas proximidades do convento da Conceição, todas as suas tropas, que consistiam de

> 2.200 soldados e setecentos a oitocentos marujos armados, perfazendo, se incluirmos os oficiais, os guardas-marinha e os voluntários, cerca de 3.300 homens. Desceram em terra também aproximadamente quinhentos doentes de escorbuto, os quais, em quatro ou cinco dias, recuperaram suas forças e foram reintegrados à tropa.[27]

Embora a região fosse facilmente defensável — "uma praia cercada por um mato baixo mas muito espesso a uma distância de meio tiro de fuzil ou menos do mar —, sobretudo numa situação de desembarque, durante a qual cada um salta na água como pode",[28] os franceses enfrentaram pouquíssima resistência na praia, o que permitiu a Duguay-Trouin desembarcar suas tropas, calma e ordenadamente, distribuindo-as em três frentes: "A brigada do cavaleiro de Gouyon instalou-se na montanha que dominava a cidade; a do cavaleiro de Courserac, numa montanha do lado oposto; e eu me instalei no meio, de modo a podermos apoiar-nos uns aos outros".[29]

Os franceses, cujas tropas ainda não tinham entrado em combate, salvo uma escaramuça aqui e outra ali, estavam agora senhores de uma praia, e suas embarcações, sem nenhum constrangimento, podiam ir e vir com água, munições e suprimentos de que tinham necessidade. As condições eram tão favoráveis que só lhes restava avançar. E assim procedeu o experiente Duguay-Trouin, mas com cautela e prudência, pois suspeitava que os inimigos tinham a intenção de atraí-lo "para próximo de suas trincheiras, como haviam feito com o senhor Du Clerc".[30] Tal suspeita tornou-se mais viva na manhã de 15 de setembro, quando uma das partidas francesas encontrou alguns prisioneiros da tropa de Du Clerc, que assegurou que o "lugar estava todo minado e que todas as ruas contavam com trincheiras".[31]

Por volta do meio da tarde do mesmo dia, o capitão percebeu que era arriscado seguir adiante e impossível deter a fuga dos cariocas — com seus pertences — da cidade, que se dava por todos os lados. Ao notar o quanto isso reduziria os lucros de sua expedição, lamentou: "[...] mesmo que tivesse 15 mil homens, era impraticável tentar cortar a fuga ao inimigo ou mesmo evitar que ele levasse as suas riquezas para os bosques e montanhas".[32]

Os combates continuavam monótonos e dispersos, quando, no dia 16 de setembro, algo inusitado aconteceu. Ao nascer do sol, de 35 a quarenta mulheres entraram no acampamento e quiseram se entregar às tropas comandadas por De Gouyon, alegando que assim procediam "para ter pão". Imediatamente, os ressabiados franceses, atentos às armadilhas que os portugueses espalhavam pelo caminho, trataram de expulsar as "cortesãs para a cidade, debaixo de fortes ameaças", pois concluíram, e não sem razão, "que se tratava de uma manobra do inimigo para pôr a perder os [...] soldados".[33] De volta à monotonia, os franceses, ainda pela manhã, viram os portugueses colocarem fogo em diversos armazéns e num navio que estava ancorado no porto, e aproveitaram a inoperância e aparente desorientação do inimigo para instalar uma "bateria de dez canhões sobre uma península, de modo a cobrir o flanco do forte e do Convento dos Beneditinos".[34]

Outra visita entrou no acampamento no dia seguinte, um prisioneiro das tropas de Du Clerc, que veio a confirmar o que já se sabia e se lamentava: todo o ouro e toda a prata estavam sendo levados para fora da cidade e enterrados nos conventos dos Jesuítas e de Santo Antônio. Ainda pela manhã, Duguay-Trouin destacou cinquenta soldados "para apresar o gado",[35] os quais foram interceptados por um batalhão inimigo. O combate prolongou-se, chegaram reforços de ambas as partes e, antes de cada um retirar-se para seu lado, muitos soldados caíram feridos.

Em diversas ocasiões, ao longo desses dias — registrou Duguay-Trouin em suas *Memórias...* —, tinha sido de grande valia para os portugueses um capitão normando de nome Bocage, que havia tempos estava a serviço do rei de Portugal. O capitão francês, desejoso de distinguir-se na batalha e conquistar a confiança dos portugueses, comportou-se de modo heroico e deu enorme trabalho a seus conterrâneos. Duguay-Trouin digna-se mesmo a contar uma façanha da personagem. O normando vestiu-se de marujo francês, "com boné, gibão e calças alcatroadas, e fez-se conduzir por quatro guardas portugueses à prisão em que estavam detidos os nossos batedores e sentinelas".³⁶ Aos prisioneiros franceses o tal Bocage disse ser "um pobre marujo de uma das fragatas de Saint-Malo, que havia sido emboscado por uma partida portuguesa ao afastar-se do nosso acampamento".³⁷ Recorrendo a tal estratégia, Bocage iludiu os soldados franceses, que lhe deram a conhecer os detalhes das defesas inimigas e a fraqueza de suas tropas. Foi tal estratagema que permitiu aos portugueses se prepararem previamente e emboscarem os cinquenta soldados franceses referidos, impondo algumas poucas baixas, ao inimigo.

Em 18 de setembro, os franceses estavam prontos para um grande ataque: "o senhor de Rufinière [...] comunicou-me que tinha, na ilha das Cobras, cinco morteiros e vinte canhões de calibre 24 prontos para atacar",³⁸ escreve o capitão. Antes, porém, de deflagrar o ataque derradeiro, Duguay-Trouin resolveu escrever ao governador expondo-lhe seu descontentamento com a situação em que encontrara os prisioneiros franceses na cidade e sua indignação com o covarde assassinato de Du Clerc, exigindo uma reparação financeira para tamanhas ofensas. A carta terminava com um ultimato:

> Aguardo, senhor, a sua resposta, a qual, tenho certeza, será imediata e decisiva. Ficarei feliz de não ser forçado a cometer crueldades indignas de um cristão. Garanto-lhe que, se poupei a cidade até agora, foi somente para poupar a mim mesmo do erro de confundir inocentes com culpados.³⁹

Três horas mais tarde, o portador da mensagem, completamente bêbado, trouxe uma resposta do governador, uma resposta que repetia as desculpas de sempre sobre o caso Du Clerc, reiterava o excelente tratamento que dispensara aos prisioneiros e concluía com uma jactância:

Quanto a entregar-lhe esta praça, confiada a mim pelo Rei, quaisquer que sejam as ameaças que me faça, a minha resposta será sempre a mesma: estou pronto a defendê-la até a última gota de sangue. Espero que o deus das armas não me abandone na defesa de uma causa tão justa, pois o senhor quer apoderar-se dessa cidade por motivos frívolos.[40]

Parscau, o guarda-marinha das tropas de Duguay-Trouin, tece uma observação bastante esclarecedora sobre a credibilidade dos argumentos usados por ambas as partes:

> Os sentimentos manifestos nessas duas cartas parecem-me em pouca conformidade com os motivos apresentados para o ataque e para a defesa da praça. [...] Não se pode acreditar que particulares façam despesas tão grandes com o propósito único de tirar satisfação pelas ofensas que alguns compatriotas receberam em um novo mundo. [...] A sequência dos acontecimentos veio demonstrar claramente que ambas as partes não pensavam realmente aquilo que haviam escrito.[41]

De qualquer modo, diante da resposta de Castro Morais, Duguay-Trouin resolveu iniciar um ataque mais ostensivo às posições portuguesas nos morros da cidade. Entre os dias 19 e 21 de setembro, os franceses, utilizando as baterias instaladas na ilha das Cobras e os canhões de dois de seus navios ancorados na baía de Guanabara, bombardearam sistematicamente a cidade; como explica Parscau: "Não poupamos nenhum ponto nem da cidade nem daqueles fortes que podíamos bater; foram atacados também todos os locais onde se descobriu algum ajuntamento de homens".[42] Os portugueses não resistiram por muito tempo. Ia alta a chuvosa madrugada do dia 21, quando o acampamento francês recebeu a visita de um prisioneiro das tropas de Du Clerc, o cadete Lassalle. O cadete escapara do cárcere e viera avisar ao general que o governador, suas tropas e os habitantes estavam deixando a cidade e os fortes, e que por toda a parte "reinava grande desordem e pânico".[43]

Duguay-Trouin mostrou-se incrédulo e resolveu manter os planos que vinha traçando para a tomada da cidade. Mal clareou o dia, o general fez avançarem, por terra, algumas tropas em direção ao morro da Conceição, e conduziu ele próprio um desembarque numa enseada oposta à praia Vermelha. Os franceses não foram incomodados por um único tiro, nem mesmo do forte instalado na praia. O cadete Lassalle não mentira, a cidade estava vazia. Duguay-Trouin pôde tranquilamente cruzá-la do local do desembarque à praia Vermelha e instalar-se no convento dos Jesuítas, no morro do Castelo. Passadas as tropas em revista e estabelecidas as sentinelas, o general deu ordens para libertar os cerca de 350 franceses que estavam presos na cidade. A decisão gerou um caos incontrolável: os prisioneiros, revoltados com os maus-tratos e ameaças que vinham sofrendo, uma vez libertos, saíram pelas ruas saqueando todos os prédios que viam pela frente, não obstante terem sido avisados de que seriam severamente punidos em caso de desordem. A situação se acalmou apenas quando, "nos dias que se seguiram, foram feitas várias execuções como exemplo, moderando um pouco o ardor dos homens".[44]

Com os prisioneiros de Du Clerc, os franceses libertaram e posteriormente levaram para a França, em seus navios, alguns indivíduos que se encontravam nas prisões da Inquisição: "um jesuíta, vários judeus ricos e um francês chamado Bourguignon".[45] Os judeus, segundo Lagrange e Parscau, subiram "clandestinamente a bordo, pois o senhor Duguay-Trouin não quis envolver-se".[46] Também buscaram abrigo nos navios franceses uma mulher de Saint-Malo que vivia na cidade, seu marido português e duas filhas; a família, amiga dos franceses, temia represálias por parte dos cariocas.

Pagar o resgate ou ver a cidade reduzida a cinzas

UMA VEZ LIBERTADOS OS PRISIONEIROS e restabelecida a ordem na cidade sitiada, Duguay-Trouin iniciou as negociações para o resgate, pois tinha pressa de voltar para os navios e regressar para a França. Castro Morais, no entanto, teimava em não aceitar os valores exigidos pelo capitão, e a negociação prolongou-se por mais de uma semana, com muitos sobressaltos. Por volta do dia 23 o capitão soube, através de uns escravos fugidos que buscaram abrigo na cidade ocupada, que Castro Morais se entrincheirara com suas tropas nas redondezas e aguardava um poderoso reforço que chegaria da região das minas. Duguay-Trouin estava intranquilo quanto aos aspectos militares e temia pelos interesses econômicos do rei e de seus financiadores, pois "os portugueses tinham levado para os bosques o seu dinheiro, queimado ou afundado os seus melhores navios e incendiado os seus armazéns mais ricos".[47] O restante das coisas, segundo o capitão, fora "exposto ao furor da pilhagem". Além disso, havia um problema ainda mais premente: era impossível manter a praça por muito tempo, na medida em que "eram poucos os víveres disponíveis e difícil penetrar nas terras adjacentes para obtê-los".[48]

Depois de ponderar esses aspectos e ver suas tropas serem vítimas de uma emboscada que quase lhe custou um batalhão inteiro, o corsário enviou um emissário ao governador comunicando-lhe que, caso tardasse em resgatar a cidade, pagando uma elevada quantia, "reduziria a cinzas e destruiria até os seus fundamentos".[49] Para tornar a ameaça mais verossímil, Duguay-Trouin mandou duas companhias de granadeiros "queimar todas as casas de campo situadas num raio de meia légua ao redor da cidade".[50] A atitude surtiu efeito e, no mesmo dia, o governador enviou o presidente do Tribunal de Justiça, com um de seus mestres de campo, para acertar o resgate. Os negociadores diziam que era possível pagar somente 600 mil cruzados de resgate e que mesmo tal quantia necessitaria de alguns dias para ser reunida.

O corsário recusou a proposta e, ciente de que o governador queria ganhar tempo para esperar as tropas vindas das minas, reuniu todos os seus homens e resolveu marchar rumo ao acampamento inimigo. A vanguarda das tropas deteve-se a poucos metros da elevação ocupada pelos portugueses, os quais aguardavam em posição de combate. As tropas lusas, todavia, conquanto reforçadas por 1.200 homens recém-chegados do distrito de Ilha Grande, furtaram-se ao enfrentamento. Pouco tempo depois de avistar os franceses nas proximidades do acampamento, o governador enviou um jesuíta, acompanhado por dois oficiais, para dizer aos franceses que tinha oferecido tudo que dispunha pelo resgate da cidade e que, na total impossibilidade de conseguir mais, estava disposto a acrescentar 10 mil cruzados de seu próprio bolso, quinhentas caixas de açúcar e todo o gado necessário para abastecer as tropas francesas.

Duguay-Trouin reuniu-se com seu conselho de capitães e, avaliando que não retiraria mais nada do governador e ainda corria sérios riscos postergando as negociações, resolveu aceitar a proposta de Castro Morais. O guarda-marinha Parscau resume os ganhos da expedição e os termos do acordo: "615.000 cruzados em três parcelas, a primeira em quinze dias e a última em um mês; [...] duzentas caixas de açúcar e duzentos bois. Em troca, o senhor Duguay-Trouin comprometia-se a entregar-lhe, ao partir, a cidade, as fortalezas e todos os canhões, sem nada destruir".[51]

O tratado foi acertado em 10 de outubro, poucos dias antes de Antônio Albuquerque alcançar o Rio de Janeiro, à frente de 3 mil combatentes das tropas regulares e seiscentos negros. Era, porém, demasiado tarde; o governador já havia empenhado sua palavra. Os franceses partiram no dia 13 de novembro, levando muitas riquezas e deixando para trás uma cidade destruída e um governador em sérios apuros.

Os colonos, que gradativamente voltaram à cidade saqueada depois da partida dos franceses, dividiram-se no tocante à avaliação do comportamento de seus governantes durante a invasão, especialmente do governador. O próprio Castro Morais viu-se obrigado a redigir um detalhado relatório — uma perspectiva oficial dos acontecimentos daquele fatídico setembro de 1711 —, encaminhado para Lisboa, contando as circunstâncias da guerra e defendendo-se da acusação de incompetência e covardia que muitos lhe imputavam, inclusive o governador de São Paulo e das Minas de Ouro, Antônio Albuquerque, que viera em seu socorro quando da invasão.

A EXPLICAÇÃO PORTUGUESA PARA A VERGONHOSA DERROTA

GRANDE PARTE DA CULPA PELA derrota humilhante diante dos franceses deveu-se, aos olhos do governador Castro Morais, a desígnios divinos, ou melhor, aos imponderáveis caprichos da natureza. Enganava-se, sugere o governador, quem o acusara de imprevidência, pois, logo que recebeu notícias de Lisboa sobre as intenções francesas — o palhabote inglês que trouxe as novas alcançou o Rio de Janeiro no dia 28 de agosto —, tomara dezenas de providências para evitar o pior, entre as quais: cavou trincheiras em áreas de desembarque, reforçou as tropas e o estoque de munições das fortalezas, instalou sentinelas em pontos estratégicos do litoral e deixou os navios de guerra que estavam acampados no porto de prontidão. Tudo isso, no entanto, explica o aflito governador, foi inútil diante da má sorte dos portugueses ao longo do combate. A sentença que inicia sua descrição dos acontecimentos é sintomática: "Em 12 de setembro, amanheceu o mar com uma neblina tão fechada que não se descobria coisa alguma das vigias, nem das fortalezas, razão por que se não viram os navios senão depois de estarem já muito perto das fortalezas".[52]

E a conspiração da natureza não parou por aí. Logo que as naus inimigas puderam ser avistadas, as fortalezas enviaram sinais e muita gente que estava em terra tratou de pegar seus barcos e ir acudir os fortes,

> mas a maré foi tanta contra nós e favorável para eles que, assim que foram vistos das fortificações, em menos de meia hora chegaram a pelejar com elas e em menos de duas horas tinham entrado a barra dezoito navios franceses, coisa que não será crível para quem conhecer a barra do Rio de Janeiro e os dias que são necessários para entrar.[53]

Deus, prossegue Castro Morais, nesse mesmo dia favoreceu uma vez mais os inimigos e castigou os portugueses. Uma tremenda confusão na ilha de Villegaignon, seguida de um incêndio, resultou na explosão de um cartuchame de pólvora, "desgraça de que morreram mais de trinta pessoas em que entraram o capitão Manuel Ferreira Estrela e o capitão João Pinto de Castro Morais".[54] O acidente deixou, ainda, diversos feridos, entre os quais o capitão Francisco de Morais e o alferes Antônio Francisco, e privou os portugueses de um poderoso ponto de ataque aos inimigos.

A coisa agravou-se ainda mais no domingo, 13 de setembro. Diz o governador que, de manhã bem cedo, dirigiu-se ao convento de São Bento, com o intuito de daí enviar mantimentos e munições para a ilha das Cobras, mas, quando chegou ao convento, descobriu que já era tarde: o inimigo se apossara da ilha. Ao interrogar seus homens do porquê não terem mandado reforços para a ilha, estes lhe responderam cinicamente que não tinham embarcações para tal, ao que o governador, irado, respondeu balbuciando uma repreenda e apontando para algumas embarcações que estavam ancoradas nas proximidades desde a noite antecedente. Ainda no domingo, mais um problema surgiu. O mesmo sargento-mor que se furtara a enviar ajuda aos soldados da ilha das Cobras falhou mais uma vez ao tentar queimar uma embarcação ancorada na ilha, que acabou tomada pelos franceses. Mais tarde, os portugueses, para evitar que o mesmo acontecesse com duas outras embarcações que se encontravam encalhadas em frente à igreja da Misericórdia, a *Capitânia* e a *Prazeres*, puseram fogo em ambas, sem retirar do interior nem mesmo a munição, a artilharia e os mantimentos. Ao fim do dia, comenta Castro Morais, a situação era extremamente preocupante: "Com a ilha das Cobras ganhada e as naus queimadas, ficou o inimigo com dobrado valor e a nossa gente com mais temor".[55]

Cerca de uma semana mais tarde, já com os franceses instalados na ilha das Cobras e nas proximidades da Misericórdia, o governador resolveu enviar novecentos homens pagos e das ordenanças, escolhidos a dedo, para tentar levar algum desassossego ao acampamento inimigo. Divididos em três corpos, os soldados avançaram; todavia, quando estavam próximos do alvo, o governador, temendo que caíssem numa emboscada, mandou-os voltar. Entre nove e dez horas da noite do mesmo dia, uma sexta-feira, 18 de setembro, o general deu ordens para que os mesmos novecentos homens atacassem a ilha das Cobras.

A partir do dia 19, um sábado, o fogo francês sobre as posições portuguesas passou a ser tão intenso que obrigou os soldados e os oficiais que se achavam em São Bento "a largarem de todo as baterias", uns retirando-se, outros correndo desordenadamente. Para evitar uma fuga em massa dos homens — "me tinham assegurado na junta que de tarde tinha feito e nos votos que nela se deram que a gente me havia de deixar" —,[56] o governador mandou pedir ao sargento-mor Gaspar da Costa Ataíde que enviasse parte de sua tropa para evitar a retirada dos homens e reforçar a posição, pois, de outro modo, adverte Castro Morais, "não poderia conservar a cidade".[57] O auxílio do sargento-mor foi de pouca valia; depois de ouvir sobre as deserções, Ataíde perguntou aflito: "Para onde vamos? Que fazemos?".[58]

Ao longo da tempestuosa madrugada do dia 20, continuava a debandada, e os que sobravam se escondiam no engenho dos padres da Companhia de Jesus. O governador, ao nascer do dia, pegou um cavalo e ainda tentou evitar algumas deserções. Mas foi em vão. O próprio Gaspar Ataíde, a quem o governador "pediu e implorou muitas vezes que ficasse com a sua gente", teria lhe dito que o Rio de Janeiro estava perdido e que ele queria passar "à ilha Grande e de lá para a Bahia".[59] Castro Morais ainda tentou reagrupar as tropas no Engenho Novo, pertencente aos padres da Companhia, aquele, situado a 15 quilômetros da cidade, que servira de abrigo às tropas de Du Clerc em sua caminhada entre Guaratiba e o Rio de Janeiro. A empreitada, contudo, se mostrou inglória, pois, como explica o governador, "se vinham trinta, logo se ausentavam outros e nunca pudemos juntar quatrocentos soldados".[60]

As coisas corriam dessa maneira quando entrou no acampamento um emissário dos franceses, com uma mensagem do general Duguay-Trouin na qual dizia estar disposto a se retirar sem causar dano à cidade mediante o pagamento de um resgate compensatório, mas que, se os portugueses não aceitassem o acordo, queimaria o Rio de Janeiro e todas as propriedades das redondezas. O governador, ciente de que nada poderia fazer para evitar o pior, a não ser ceder e pagar o resgate, resolveu ganhar tempo. Antes de uma resposta definitiva, Castro Morais consultou o juiz de fora Luís Fortes e outras pessoas de qualidade que se encontravam no engenho dos padres da Companhia e mandou sondar os membros da Câmara do Rio do Janeiro, que não foram encontrados. Diante da premência da situação, as poucas autoridades presentes acordaram que não poderiam pagar os 2 milhões de cruzados exigidos pelo inimigo, e mandaram-lhe dizer que tinham condições de levantar no máximo 600 mil, mas que precisavam de algum tempo para juntar o valor — havia ainda a possibilidade de receber os reforços de Minas, sob o comando do governador Antônio de Albuquerque Coelho de Carvalho, que estavam a caminho.

O desenrolar dos acontecimentos, no entanto, não permitiu a Castro Morais levar adiante seu intento. Impaciente, Duguay-Trouin, sabedor de que esses reforços eram esperados, resolveu, depois de incendiar algumas chácaras, marchar com cerca de 2.500 soldados rumo ao acampamento português no Engenho Novo e pressionar o governador. Este, segundo conta em sua carta, saiu ao encontro dos franceses, acompanhado de 284 soldados, mas, quando se deu conta do tamanho das tropas inimigas — "vendo que era temeridade degolar aqueles poucos soldados que tínhamos" —,[61] decidiu firmar um acordo com os franceses.

Castro Morais, depois de muito pechinchar e de oferecer algumas condições vantajosas para que os invasores vendessem a seus antigos donos, os cariocas, a carga que não conseguissem levar, pagou ao inimigo 610 mil cruzados, cem caixas de açúcar e duzentos bois. Para o pagamento, esclarece o governador, "foi forçoso valermos do dinheiro da Casa da Moeda, dos quintos e mais cofres, tudo por empréstimo, para cobrar dos moradores, lançando-se as casas 'pro rata', para restituir aos cofres em cuja diligência se pega".[62] Dito em outras palavras, a conta da derrota seria integralmente rateada entre a população do Rio de Janeiro.

Pois, bem. Isso foi o que disse o governador Castro Morais em suas cartas e memorandos, empenhado que estava em refutar a acusação de negligência, incompetência e mesmo má-fé que pesava sobre sua conduta. Seus acusadores, anônimos que viveram os acontecimentos e, sobretudo, o governador Antônio de Albuquerque — que se diz sempre estarrecido com a má reputação de Castro Morais entre os cariocas —, têm uma perspectiva um pouco menos fatalista do ocorrido.

Os preparativos para defender a praça de um ataque há tempos aguardado, conta um anônimo, não foram tão zelosos como o depoimento do governador faz crer. Castro Morais e seus subordinados depositaram demasiada confiança nas manobras do referido capitão Bocage, que alinhou três navios para defender o porto. A crença na manobra ou a negligência era tanta que, passados três dias da chegada das notícias sobre a presença de navios franceses na costa, "tendo o general as novas por incertas, mandou retirar a gente das fortalezas, não ficando mais que com a guarnição que tinham".[63] Foi em razão dessa precariedade que, no dia 12 de setembro, os soldados das fortalezas assistiram praticamente sem reação à entrada dos franceses na baía de Guanabara, entrada em meio ao nevoeiro e, segundo relata um soldado instalado no forte de Santa Cruz, a uma "chuva de balas inimigas".[64]

Negligência similar ocorreu, diz a mesma testemunha, na invasão da ilha das Cobras, no mesmo 12 de setembro. O capitão da fortaleza lá instalada cansou de "pedir gente" ao governador, pois contava com apenas sete homens para defender o lugar. "Depois de muito esperar em vão, vendo o dito capitão que não podia defendê-la, se retirou para a praça, deixando a artilharia bem mal encravada, coisa que os franceses estimaram."[65] A confusão estendeu-se à manhã seguinte e à fortaleza de Villegaignon, onde cartuchos de pólvora pegaram fogo, causando grande explosão e vitimando muitos portugueses.

A mesma testemunha — um militar, envolvido nos conflitos — acusa ainda o governador de ter demorado demasiado para atacar o inimigo, que teve tempo de se organizar e avançar sobre a cidade. A falta de ousadia alcançou tal ponto que, por volta da meia-noite do dia 21, "o governador se retirou com a gente da cidade e foi parar cada qual onde lhe pareceu melhor".[66] Mais tarde, revela o mesmo indivíduo, talvez por se sentir culpado do mal que tinha feito à cidade, Castro Morais "começou a juntar alguma gente e com ela se pôs no engenho dos padres da Companhia".[67]

Diz, por fim, a testemunha que, quando os franceses, cansados de esperar por um acordo, se dirigiram ao acampamento com cerca de 1.500 homens, não restavam mais que trezentos portugueses ao lado do governador. Daí este ter sido, poucos dias antes da chegada dos reforços conduzidos por Antônio de Albuquerque, obrigado a assinar um ultrajante compromisso de resgate com os seguintes termos:

> Promete pagar 600 mil cruzados, em doze ou quinze dias, e que, por não sentir donde possa tirar maior contribuição deste povo, oferece a sua Senhoria cem caixas de açúcar, duzentos bois e dez mil cruzados em dinheiro, ficando com o sentimento de se não achar com mais para lhe oferecer; e o sobre do ajuste é pelo resgate da soberania da terra da cidade redonda e suas fortalezas com todas as artilharias a elas pertencentes.[68]

Albuquerque é bem mais contundente que o indignado militar. As cartas que enviou ao governador-geral da Bahia, d. Lourenço de Almada, relatando as impressões que recolheu dos cariocas sobre a invasão e o que presenciou na cidade quando aí chegou, depois de assinado o acordo com os franceses, foram devastadoras para a reputação de Castro Morais na metrópole. O interventor Albuquerque relata que, em 25 de outubro, quando alcançou as vizinhanças do Rio de Janeiro, recebeu uma mensagem de Castro Morais, na qual dizia que "entrara em capitulações com o inimigo depois de lhe ter largado a cidade"[69] e que temia pela integridade da mesma e das fortalezas — que estavam minadas — caso os franceses se sentissem ameaçados pelas tropas vindas da região das minas. Um pouco surpreso, Albuquerque procurou aproximar-se da urbe e informar-se melhor sobre o que se passava. Cedo descobriu que, contra os franceses, pouco poderia fazer, mas que tinha uma nova e inusitada missão: proteger o governador Castro Morais, "cuja vida corria perigo, pois já tinham querido tirar-lha, e não o obedeciam, nem respeitavam, tratando-o de traidor".[70]

O INTERVENTOR INVESTIGA: COVARDIA, DESORGANIZAÇÃO OU TRAIÇÃO?

LOGO QUE SE APROXIMOU DO Rio de Janeiro, Albuquerque foi procurado por dois oficiais da Câmara que traziam um requerimento, assinado por quase toda a cidade, que pedia a imediata prisão do governador, "que tinha vendido e entregue a terra".[71] Atônito, repreendeu os oficiais pela ousadia e, antes de tomar qualquer medida, seguiu adiante e acampou no engenho de Félix Correia, a cerca de 35 quilômetros da cidade. Aí, à medida que as horas iam passando, Albuquerque dava-se conta do tamanho do imbróglio. A desordem era tanta que os inimigos, senhores despreocupados da cidade, comerciavam livremente com a população as mercadorias que não tinham interesse em levar ou que não podiam embarcar — tudo sob as vistas do governador. Os soldados — tanto os da armada quanto os do terço —, que tinham debandado em massa para o mato e andavam roubando as casas das redondezas, começaram a voltar do interior depois de saberem da chegada das tropas de Minas. Os motivos que apresentavam para a deserção eram os mais frívolos, sempre travestidos de zelo; todos, no entanto, nota o interventor, eram unânimes em atribuir culpa ao governador Francisco de Castro Morais.

A nobreza da cidade também veio, em polvorosa, procurá-lo, escreve Albuquerque. Os queixumes eram os mesmos e apontavam na mesma direção: a incompetência e a má-fé do governador e de seus protegidos, nomeadamente de seu sobrinho e braço direito, Francisco Xavier de Castro Morais, e do jesuíta Antônio Cordeiro, que havia cuidado das negociações com os franceses e gozava de enorme simpatia entre os oficiais inimigos. O sobrinho Xavier, inclusive, em 13 de outubro de 1711, no auge dos conflitos, enviara uma missiva ao oficial das tropas de Duguay-Trouin, Chancel de Lagrange, cujo tom, ainda que se considerem os requintes de cortesia impostos pelas convenções epistolares da época, era, no mínimo, suspeito. Xavier, que devia zelar pela cidade do Rio de Janeiro, escreve ao inimigo que acabara de saqueá-la:

> Meu senhor. Suponho vive vossa mercê do sentimento do muito que o amo, e assim não ignorará o muito que vivo saudoso de sua vista. Razões que me obrigam a pedir a vossa mercê que me dê alívio de novas suas, enquanto o tempo me dilata o de lhe dar muitos abraços, beijar-lhe a mão, e pedir-

-lhe ocasiões de seu serviço, que suposto os sucessos, e temos a que chegamos me não deem muito ânimo a ir a essa cidade, vivo tão afeiçoado às prendas e generosidade de vossa mercê, que ainda que seja mais ao tarde, hei de procurar-me dar de satisfação este gosto, que vossa mercê apeteço. Remeto à vossa mercê esse macaco, tal e qual pude alcançar, e fico na diligência do sagui; estimarei muito achá-lo para mostrar à vossa mercê [...].[72]

Diante de um quadro tão lamentável e da inutilidade da presença de suas tropas na cidade, o interventor desabafa:

Tratarei de ir despedindo para as Minas estas tropas, que não têm sentido pouco não poderem mostrar a boa vontade e zelo com que vinham de restaurar a cidade, à custa de tanto trabalho e despesas, por caminhos e serranias tão fragosas, com chuva contínua, por atoleiros e rios invadeáveis, a pé, pelo que não sei como estou vivo, menos posso tolerar o que vejo e tem sucedido, tudo por descuido e falta de disposição.[73]

A situação, no entanto, não comportava desânimo e lamentação. A prioridade de Albuquerque, que nada mais podia fazer contra os invasores franceses, foi acalmar os ânimos e evitar que mais dinheiro da Coroa escoasse pelo ralo. De imediato, assumiu as rédeas do governo, pois o povo se achava "tão inquieto [...] e em parcialidades, que prometiam ruínas só a fim de que os não governasse Francisco de Castro".[74] A cidade, também, precisava de cuidados imediatos, pois estava completamente arrasada: casas queimadas, fortes dilapidados de artilharia, armazéns vazios, "não havia ficado nada",[75] como lamentou o interventor. Era, pois, necessário encontrar meios para recompô-la, já que "o governador puxara por tudo que havia nos cofres da Fazenda Real".[76] A população, todavia, não se mostrava nem um pouco disposta a colaborar, revoltada que estava com as autoridades em razão das suspeitas que pairavam sobre as transações comerciais que tinham sido feitas com os franceses durante a ocupação e sobre os meios de que o governador Castro Morais lançara mão para pagar o resgate.

Dizia-se com revolta que, durante a longa permanência dos franceses na cidade, determinados indivíduos mantiveram intenso comércio com os invasores, e que os principais agentes e grandes beneficiados das transações — além, é claro, dos franceses — eram dois testas de ferro do governador, Cristóvão Pereira e José Torres. Dizia-se, igualmente, que o governador gastara o que tinha e o que não tinha com os franceses, na certeza de que depois tiraria ainda muito mais do povo com taxas e impostos. Os que primeiro reclamaram dessa extorsão foram os religiosos — os jesuítas especialmente —, que se recusaram a pagar qualquer taxa extra, argumentando que possuíam "privilégios de isenção" e que o dinheiro "devia sair do governador e de seus sequazes, que tantas conveniências fizeram".[77]

Os religiosos somente "levantaram a poeira", como nota Albuquerque, porque atrás deles veio toda a população da cidade. Em carta enviada pelo recém-nomeado governador-geral da Bahia, Pedro de Vasconcelos, ao secretário de Estado, Diogo de Mendonça, aquele relata que, no sábado, 17 de outubro, se inquietou o povo do Rio de Janeiro "sem outro motivo ou mais causa de haver-se escrito dessa que sua majestade, que Deus guarde, mandava lançar novos impostos".[78] Dois dias mais tarde, uma segunda-feira, houve mais excessos. Juntou-se na praça da cidade

> o povo e alguma gente da frota e o que é mais, soldados e oficiais destes terços, chamando a gritos que não queriam tributos e não bastando em persuasões nem diligência pela

quietação, foram às casas de três homens de negócio que entenderiam ser os arbitristas dos novos impostos e pelas janelas lançaram os móveis das ditas casas na rua.[79]

Foram tempos de inquietação e sobressalto, tempos em que, sem saber ao certo como proceder diante da legítima revolta da população contra Castro Morais, o interventor Albuquerque fez o que pôde para restituir a normalidade num Rio de Janeiro depredado e traumatizado. A situação havia alcançado tal nível de tensão que o governador-geral da Bahia, Pedro de Vasconcelos, não vendo melhor solução para o caso, sugeriu à metrópole que, "para sossego destes povos e o que é mais, para obediência das ordens de sua majestade, é muito preciso haver nesta cidade um presídio igual à grandeza dela".[80]

As coisas, porém, não tomaram esse rumo. O presídio não veio a ser edificado e a situação no Rio de Janeiro teve de ser contornada aos poucos, adiando a cobrança de impostos, reparando, às custas do tesouro, os estragos deixados pelos franceses e, sobretudo, desencadeando uma longa investigação para apurar as culpas do grande responsável pela derrota, aos olhos da população: o governador Francisco de Castro Morais, *O vaca*, para quem se esperava um castigo exemplar das autoridades de Lisboa. Morais, no entanto — sempre alegando que a tragédia se devia ao "castigo de Deus pelos seus pecados e não pelos muitos descuidos e o que tinha obrado nas defesas da terra" —,[81] não recebeu o castigo que a população tanto desejava. O governante que teve a má-sorte de estar à frente da última cidade da América portuguesa a sofrer um ataque corsário foi, num primeiro momento, julgado culpado pela perda da cidade e condenado ao degredo, com prisão perpétua numa fortaleza da Índia. *O vaca*, no entanto, foi perdoado em 1730 e voltou para Lisboa, com direito a ter seus vencimentos restituídos. Os impostos e as taxas sobre os cariocas também voltaram, aos poucos e permeados por perdões e isenções, mas voltaram.

Malgrado, porém, quase tudo ter permanecido na mesma e ninguém ter sido punido, gradativamente a indisposição dos cariocas com as autoridades passou, e a memória daquele fatídico mês de setembro de 1711 foi se reduzindo a um temor e a um rancor difusos em relação aos franceses, perceptíveis apenas quando um navio ostentando a bandeira dessa nação se aproximava da entrada da baía de Guanabara e ancorava no porto da cidade.

Cenário das invasões

Thomas Cavendish (1591)
e James Lancaster (1595)

1531 O navegador Pero Lopes de Sousa, ancorado na baía de Guanabara, recolhe informações sobre a existência de metais preciosos no Brasil e anota em seu diário a chegada de um "grande rei, senhor de todos aqueles campos", que anuncia as riquezas escondidas no sertão: "Trouxe muito cristal, e deu novas como no rio Peraguay havia muito ouro e prata".[1]

1555 Depois de voltar de expedição organizada pelo governador-geral Duarte da Costa e apoiada pelo rei d. João III, cujo objetivo era encontrar o rio São Francisco, onde se dizia haver ouro e prata, o jesuíta Azpilcueta Navarro escreve: "Passa de ano e meio que, por mandado do nosso padre Manuel da Nóbrega, ando em companhia de doze homens cristãos que, por mandado do capitão, entraram pela terra adentro a descobrir se havia alguma nação de mais qualidade, ou se havia na terra coisa por que viessem mais cristãos a povoá-la, o que sumamente interessa para a conversão destes gentios".[2] Uma provisão de Mem de Sá registra que durante a entrada os doze portugueses acharam "muitas informações boas de haver entre o gentio ouro e prata".[3]

1555 Os franceses de Nicolau de Villegagnon instalam-se na Guanabara, com o apoio dos índios tamoios.

1557 Um dos companheiros de Villegagnon, André Thevet, publica *Singularitez de la France Antarctique*, em Paris. Sobre a capitania de São Vicente, dá notícias animadoras a seus leitores franceses e ingleses (o livro logo foi traduzido na Inglaterra em 1568): "No início da colonização plantou-se aí muita cana-de-açúcar, mas este cultivo não prosperou depois que os habitantes preferiram a mais rendosa exploração das jazidas de prata descoberta nos seus arredores".[4] Léry, outro integrante da França Antártida, publica em 1578 a *Viagem à terra do Brasil*, em que acusa Thevet de ter escrito uma série de inverdades. Não faz, entretanto, referência às minas de prata de São Vicente.

1562 O mineiro Luís Martins, numa missão organizada pela elite colonial da capitania de São Vicente, encontra ouro a trinta léguas da vila de Santos. "Ouro tão bom quanto o da Mina e dos mesmos quilates",[5] garante Brás Cubas, provedor da fazenda da capitania de São Vicente e um dos organizadores da expedição, em missiva ao rei d. Sebastião no dia 25 de abril do mesmo ano.

1562 Numa carta escrita da Bahia, o jesuíta Leonardo do Valle anota: "As novas gerais a toda a terra é ser mui cursada de franceses, e tanto que mui poucas léguas desta cidade tomaram uma nau que vinha do Porto, vindo já a demandar porto ao longo da costa, e por cuidarem que o gentio estaria de guerra e não saberem que as nossas casas e padres defronte de que estavam, lhe largaram a nau e se meteram todos no batel em que vieram a esta cidade. [...] Agora andam muitas naus espalhadas pelos mais dos portos".[6]

1567 O padre Balthazar Fernandes dá novas sobre o Rio de Janeiro, logo após a expulsão definitiva da pequena colônia francesa: "Do estado em que o Rio está, creio que será V. R. sabedor por outras: por isso não escrevo isso largamente. A soma disso é estar o governador em paz com o gentio da terra, e os franceses estão botados já fora dela por guerra, ainda que todavia não deixam de vir algumas naus ao Cabo Frio a fazer suas fazendas e levar brasil [pau-brasil], contra quem não pode ir a nossa armada (ainda que pequena) pelos tempos contrários".[7]

1571 Morre, numa nau a caminho do Brasil, d. Luís de Vasconcelos, que vinha substituir Mem de Sá no cargo de governador-geral, atacado pelo corsário francês Jean Capdeville.

1576 Pero de Magalhães de Gândavo, no *Tratado da terra do Brasil*, informa o cardeal infante d. Henrique, tio do rei, sobre a mítica serra de Sabarabuçu: "A esta capitania de Porto Seguro chegaram certos índios do sertão a dar novas dumas pedras verdes que havia numa serra muitas léguas pela terra adentro, e traziam algumas delas por amostra. E os mesmos índios diziam que daquelas havia muitas, e que esta serra era mui fermosa e resplandecente".[8]

1576 No mesmo ano, Gândavo publica a *História da Província Santa Cruz a que vulgarmente chamamos Brasil*, em que faz propaganda da colônia, pretendendo atrair colonos, e divulga informações sobre as futuras minas: "Esta província de Santa Cruz, além de ser tão fértil como digo, e abastada de todos os mantimentos necessários para a vida do homem, é certo ser também mui rica, e haver nela muito ouro e pedraria, de que se tem grandes esperanças".[9]

1578 D. Sebastião, rei de Portugal, desaparece no Marrocos, durante a batalha de Alcácer-Quibir, abrindo a crise dinástica que terminaria por sujeitar o reino, durante sessenta anos, à Coroa espanhola.

1578 O inglês radicado em Santos John Whithall dirige uma carta a alguns mercadores de Londres na qual, além de relatar a prosperidade da produção açucareira, revela a existência de metais preciosos: "Há poucos dias conversei com o Provedor e o Capitão, que me garantiram terem descoberto algumas minas de prata e ouro, e que estão aguardando a qualquer momento a chegada de mestres para abrir as ditas minas que, quando abertas, irão enriquecer em muito esta terra".[10]

1579 O cartógrafo Jacques Vau de Claye desenha dois detalhados mapas do Brasil, um do Nordeste e outro do Rio de Janeiro, com dados precisos sobre a localização de recursos naturais (ouro, âmbar, madeira, açúcar e algodão), de engenhos, dos núcleos urbanos e de tribos indígenas. Os mapas serviriam à fracassada expedição da rainha da França, Catarina de Médici, e seu primo Philippe Strozzi para conquistar regiões do Brasil. A frota de Strozzi foi interceptada e derrotada por navios espanhóis nos Açores, em 1582.

1579 Em junho, um dos galeões da esquadra da viagem de circum-navegação de Francis Drake, o *Elizabeth*, comandado por John Winter, volta à Inglaterra antes dos demais navios, trazendo informações sobre o Brasil. Seus homens, interrogados, comunicam a existência de minas de metais preciosos na longínqua capitania de São Vicente.

1579 Richard Hakluyt, geógrafo e conselheiro da rainha Elisabeth I, após interrogar a tripulação do *Elizabeth*, expõe seus planos de conquista: "Instalando entre eles alguns bons capitães ingleses, e mantendo nas baías dos estreitos uma boa armada, não há dúvida de que iremos submeter à Inglaterra todas as minas de ouro do Peru e toda a costa e trato daquela terra firme da América ao largo do mar do Sul. E fazer o mesmo em regiões vizinhas àquela terra".[11]

1580   O mesmo Hakluyt, após o retorno vitorioso de Francis Drake, escreve à rainha da Inglaterra: "A ilha de São Vicente pode ser facilmente tomada por nossos homens, visto que não tem guardas e não é fortificada, e sendo conquistada deve ser mantida por nós".[12]

1580   Diante das frequentes incursões de navios estrangeiros no litoral do Brasil, o embaixador espanhol em Londres, d. Bernardino de Mendoza, escreve ao rei Felipe II: "Por esta razão seria desejável para os interesses de V. M. que sejam dadas ordens para que nenhum navio estrangeiro deva ser poupado, seja nas Índias espanholas ou portuguesas, e que todos sejam postos a pique e nenhuma alma a bordo seja mantida com vida. Esta será a única maneira de prevenir que ingleses e franceses sigam para essas partes para saquear, porque neste momento dificilmente se encontra um inglês que não esteja falando em empreender tal viagem, tão encorajados estão pelo retorno de Drake".[13]

1581   Na batalha de Alcântara, as tropas do duque de Alba vencem a resistência portuguesa e conquistam o reino para Felipe II. Todos os territórios portugueses, inclusive o Brasil, passam a pertencer à Espanha e, consequentemente, entram na guerra entre o rei espanhol e a Inglaterra de Elisabeth I. Derrotado, o pretendente ao trono de Portugal, d. Antônio, foge para a Inglaterra e é apoiado pela rainha, ganhando acolhida, mais tarde, também na França.

1582 D. Inês de Sousa, esposa de Salvador Correia de Sá, governador da capitania Salvador Correia de Sá, na ausência do marido, organiza a resistência armada contra uma frota francesa que ameaçava o Rio de Janeiro. "Com seus chapéus nas cabeças, arcos e flechas nas mãos, com o que e com mandarem tocar muitas caixas e fazer muitos fogos de noite pela praia, fizeram imaginar os franceses que era gente para defender a cidade e assim ao cabo de dez ou doze dias levantaram as âncoras e se foram",[14] conta frei Vicente do Salvador em sua *História do Brasil*.

1583 A frota de Edward Fenton ronda o litoral do Brasil, tenta estabelecer contato com os colonos e é derrotada pela esquadra de Diego Flores de Valdés, enviada por Felipe II para proteger o litoral das ameaças estrangeiras.

1584 Diego Flores de Valdés escreve para Felipe II um memorial "sobre a importância de povoar e fortificar o porto de São Vicente e todos os outros da costa do Brasil até o Rio da Prata", afirmando já terem sido descobertas minas de ouro, prata e cobre na capitania de São Vicente. Junto com o memorial, envia amostras minerais.

1585 Numa extensa narrativa epistolar, em que rememora sua viagem por várias capitanias, o padre Fernão Cardim descreve o desenvolvimento da produção açucareira de Pernambuco: "A fertilidade dos canaviais não se pode contar; tem 66 engenhos, que cada um é uma boa povoação; lavram-se alguns anos 200 mil arrobas de açúcar, [...] e com virem cada ano quarenta navios ou mais a Pernambuco, não podem levar todo o açúcar".[15]

1585 Durante sua passagem pela Bahia, o padre Fernão Cardim foi tratado a pão de ló pela próspera elite local: "Os engenhos deste Recôncavo são trinta e seis, quase todos vimos, com outras muitas fazendas muito para ver. De uma coisa me maravilhei nesta jornada, e foi a grande facilidade que têm em agasalhar os hóspedes, porque a qualquer hora da noite ou dia que chegávamos, em brevíssimo espaço nos davam de comer a cinco da Companhia (afora os moços) todas as variedades de carnes, galinhas, perus, patos, leitões [...] com todo gênero de pescado e mariscos de toda a sorte [...] e de tudo têm a casa tão cheia que na fartura parecem uns condes, e gastam muito".[16]

1587   O senhor de engenho luso-baiano Gabriel Soares de Sousa escreve um tratado sobre o Brasil e o entrega, em Madri, a d. Cristóvão de Moura, visando obter de Felipe II permissão e licenças para explorar as minas da Bahia: "Dos metais de que o mundo faz mais conta, que é o ouro e prata, fazemos aqui tão pouca, que os guardamos para o remate e fim desta história, havendo-se de dizer deles primeiro, pois esta terra da Bahia tem dele tanta parte quanto se pode imaginar, do que podem vir à Espanha cada ano maiores carregações do que nunca vieram das Índias Ocidentais, se Sua Majestade for disto servido, o que se pode fazer sem se meter nesta empresa muito cabedal de sua fazenda".[17]

1587   No mesmo tratado, Gabriel Soares de Sousa enfatiza que seu informe deveria ser mantido em segredo, tendo em vista "o perigo em que está de chegar à notícia dos luteranos parte do conteúdo deste trabalho para fazerem suas armadas e se irem povoar esta província, onde com pouca gente que levem bem armada se podem senhorear dos portos principais porque não hão de achar nenhuma resistência neles".[18]

1587 Enquanto Gabriel Soares de Sousa estava em Madri tentando conseguir as licenças reais para descobrir o ouro dos sertões da Bahia, o conde de Cumberland arma uma frota de quatro navios, que saqueia os engenhos do recôncavo baiano durante um mês e meio. O mercador John Sarracol, autor do relato sobre a viagem, conta como a frota se aproxima da vila de Salvador: "A lua brilhava no céu e nos dava uma ótima luz, e assim avançamos com nossas caravelas e barcos, e os tiros da artilharia inimiga soavam nos nossos ouvidos sem cessar, mas como os portugueses e os demais perceberam que de nenhuma forma nós íamos desistir ou retroceder, abandonaram seus navios e começaram a tratar de se salvar, uns nos seus botes, outros nadando, e desta forma nós abordamos os navios com grande ímpeto e encontramos poucos a nos oferecer resistência".[19]

1590 O padre Francisco Soares, em seu pequeno tratado *De algumas coisas mais notáveis do Brasil*, relata a seus companheiros jesuítas as riquezas da terra: "Tem muitas coisas de preço e muita Índia por descobrir, há ouro e prata, isto sei de certo, não se descobre para os inimigos franceses não saberem da terra, sabem dela com isso, quanto mais se o inventarem; agora anda aqui um homem que eu conheço, em requerimento de mercê por mostrar umas minas".[20]

1590 No mesmo tratado, Francisco Soares, ao comentar a produção açucareira da colônia, lamentava as grandes perdas sofridas com os assaltos de piratas, de que ele mesmo foi vítima: "E assim vai a terra sendo rica porque cada engenho de açúcar comumente vale vinte mil cruzados pelo menos, e posto que os ingleses e franceses lhe levam todos os anos muito, e este ano passado de 89 em nove meses tomaram, assim a ida como a vinda, 73 navios carregados, e o navio em que me tomaram, no mesmo ano de 89, valia de açúcar até 15 mil cruzados, por ser pequeno, que outro nosso companheiro que também tomaram carregava 46 mil cruzados, afora o navio e artilharia, e por aqui se pode julgar os mais, e com tudo são ainda ricos".[21]

1595 Nem todos os estrangeiros estavam em busca de ouro ou de açúcar. O tráfico de pau-brasil ainda atraía aventureiros para as costas da colônia. O mercador francês Poidemil — conhecido no Brasil como Pão de Milho — e seu companheiro de frota Elisee Gouribaut de la Tramblade — por alcunha, o Malvirado — foram dar em Sergipe, com as naus desabastecidas de mantimentos e água, onde terminaram por ser presos e enviados para Salvador, sendo enforcados na praça da cadeia.

1595 Uma grande frota francesa acomete Ilhéus e invade a vila. Durante 27 dias os franceses permanecem em terra, mas são diariamente atacados pela resistência local, comandada pelo mameluco Antônio Fernandes, o Catucadas. Acossados pelos moradores, os franceses são forçados a voltar para os navios e abandonam a vila.

1595 No dia 11 de junho, a nau em que ia o marinheiro Domingos Luís Matosinhos, português, morador de Pernambuco, foi assaltada por um navio de franceses de La Rochelle, quando já se aproximava da Bahia, vinda de Lisboa. Capturado, o marinheiro viveu durante quatro meses no navio, tomando parte, ao lado dos franceses, em uma série de ações de corso no litoral brasileiro. Condenado por "luteranismo" durante a primeira visitação do Santo Ofício a Pernambuco, por ter, segundo seus denunciadores, se "desbarretado" durante as "salvas luteranas" e estimulado outros portugueses capturados a fazer o mesmo. O marinheiro é uma das personagens do auto de fé ocorrido em Pernambuco em 14 de junho de 1595, com a pena de "abjuração leve, penitências espirituais, pague as custas".

1597   O forte de Cabedelo, na Paraíba, então fortaleza de Santa Catarina, é atacado por uma esquadra francesa de treze navios, com o apoio do aventureiro e frequentador contumaz do litoral norte brasileiro Jacques Riffault, conhecido no Brasil como Refoles. A frota é repelida pela força local, composta de apenas vinte homens e cinco canhões, segundo Feliciano Coelho de Carvalho, capitão-mor da Paraíba.

1599   O experiente corsário holandês Olivier van Noort ancora próximo à entrada da baía de Guanabara e faz contato com o governador-geral d. Francisco de Sousa, que estava de visita à capitania, alegando necessitar se abastecer de víveres. Alguns homens da frota desembarcam numa enseada próxima ao Pão de Açúcar e são surpreendidos pelos da terra. Após uma série de peripécias, que envolve troca de prisioneiros, a frota parte e termina por completar uma viagem de circum-navegação pontuada por ações de saque e pilhagem.

1599   O governador-geral d. Francisco de Sousa transfere-se para a capitania de São Vicente e instala-se no planalto de modo a apoiar e organizar entradas em busca de minas de metais preciosos. Segundo frei Vicente do Salvador, a chegada do governador provocou ainda outras mudanças na capitania: "E o governador se foi de São Vicente à vila de São Paulo, que é mais chegada às minas, onde até então os homens e mulheres se vestiam de pano de algodão tinto, e se havia alguma capa de baeta e manto de sarja se emprestava aos noivos e noivas para irem à porta da igreja; porém depois que chegou d. Francisco de Sousa, e viram suas galas, e de seus criados e criadas, houve logo tantas librés, tantos periquitos, e mantos de soprilhos, que já parecia outra coisa".[22]

1599   Uma armada holandesa, em viagem de corso para o rio da Prata, enfrenta destino contrário na Bahia. O almirante Heinrich

Ottssen escreve um diário, publicado em Amsterdam em 1603, cujo título resume a aventura: *Curto e verídico relato da desgraçada navegação de um navio de Amsterdam chamado* Mundo da Prata, *o qual, depois de reconhecer a costa da Guiné, foi separado de sua almirante por uma tempestade, e depois de muitos perigos caiu finalmente nas mãos dos portugueses da Bahia de Todo os Santos onde foi completamente saqueado e destruído. Ocorrido desde o ano de 1598 até o de 1601.*[23]

1599   Quando Ottssen olhava pelas grades da janela da cadeia de Salvador, viu tremular as bandeiras de seu príncipe. Era uma frota holandesa de sete navios, comandada por Hatman e Broer, que investiu contra a cidade e o recôncavo durante 55 dias. "Esta armada se senhoreou do porto, e dos navios que nele estavam, queimando e desbaratando os que lhe quiseram resistir",[24] conta frei Vicente do Salvador.

1604   Novamente a Bahia é alvo de uma ação holandesa. O rei Felipe II avisara em carta ao governador Diogo de Botelho, em dezembro de 1603, que uma frota de "trinta navios, com muita gente e munição" estava sendo preparada para "acometer esse estado do Brasil, pela Bahia ou Rio de Janeiro".[25] Armada pelos Estados Gerais da Holanda, a frota comandada por Paulus van Caarden ameaça Salvador e, durante quarenta dias, saqueia naus carregadas de açúcar dos engenhos do recôncavo.

1618   Ambrósio Fernandes Brandão, em seus *Diálogos das grandezas do Brasil*, lamenta o desaparecimento de d. Francisco de Sousa e a consequente queda nas expedições em busca de minas: "com sua morte se atalharam estas esperanças, que não eram pequenas". Em sua análise das "grandezas" da colônia, Brandão aponta que "o principal nervo e substância da riqueza da terra é a lavoura dos açúcares". Mas suspeita do futuro de uma economia não diversificada:

"No Brasil seus moradores se ocupam somente na lavoura das canas-de-açúcar, podendo se ocupar em outras muitas coisas".

JEAN FRANÇOIS DU CLERC (1710) E RENÉ DUGUAY-TROUIN (1711)

1671   Afonso Furtado de Castro do Rio de Mendonça (1610--1675), visconde de Barbacena, é nomeado governador do Brasil (1671-1675), com a espinhosa missão de encontrar, diante da crise do mercado internacional do açúcar, meios de recuperar a combalida economia colonial — que, àquela altura, não era capaz nem mesmo de gerar os dividendos necessários para pagar a burocracia portuguesa instalada no Brasil —, expandir a colonização para o interior e combater os selvagens que atormentavam a vida dos engenhos. Gabriel Dellon, um prisioneiro da Inquisição de Goa que passava por Salvador, em janeiro de 1676, a caminho de Lisboa, deixou um testemunho do empenho de Afonso Furtado no cumprimento de sua missão: "Os bravos brasileiros [os índios] não poupam os portugueses que caem em suas mãos através de batalhas ou de emboscadas; os portugueses, por sua vez, quando os capturam, em lugar da morte, reservam-lhes os mil sofrimentos na escravidão, da qual, se forem mais fracos, podem escapar de dois modos somente: ou se submetendo voluntariamente ao vencedor, ou retirando-se para outras terras. Os portugueses querem estender seus domínios e, por isso, constantemente enviam partidas contra os bárbaros e fortificam cuidadosamente a região conquistada. Durante a minha arribada, contaram-me que já tinham avançado oitenta léguas do mar".[26]

1674 O governador da crise, Afonso Furtado, em sua busca por encontrar meios para tornar a colônia novamente lucrativa, solicita a Fernão Dias Paes, o renomado bandeirante, que ponha em marcha uma expedição à procura da mítica serra do Sabarabuçu, onde se acreditava existir enormes jazidas de esmeraldas e prata. Em um panegírico fúnebre em homenagem ao governador, escrito por um contemporâneo de nome Juan Lopes Sierra, em 1676, lê-se: "É pois de saber que Sua Alteza, que Deus guarde, foi informada, por via do capitão-mor de Sergipe do Rei, haver Minas de salitre, pedras ametistas e prata junto do Rio Verde, nas serras de Picarasa, e assim encarregou nosso herói (Afonso Furtado) que fizesse a averiguação possível no caso, que fez".[27]

1682 Manuel de Borba Gato, outro bandeirante de renome, depois da morte do sogro e companheiro de andanças, Fernão Dias Paes, em 1681, mete-se numa querela com o administrador-geral das Minas, d. Rodrigo de Castelo Branco, a quem acaba assassinando numa tocaia. Borba Gato evade-se, então, para a ainda inexplorada região do vale do rio Doce, onde permanece por mais de uma década desaparecido dos olhos das autoridades. O poeta Cláudio Manuel da Costa, nos "Fundamentos históricos" do seu poema épico "Vila Rica" (1773) — dedicado a cantar os feitos dos heroicos paulistas e a descoberta das minas —, traça o seguinte perfil do herói: "Tendo sido atravessado o dilatadíssimo sertão do Sabará-Bussu muito antes de qualquer outro das Minas, porque os primeiros conquistadores demandavam o Rio das Velhas, cujas dilatadas campinas eram mais povoadas dos gentios e férteis de caça, e as primeiras diligências do ouro e pedras se fizeram ao norte de São Paulo, consta que o seu descobridor, ou denunciante das suas faisqueiras, fora o Tenente-General Manuel de Borba Gato, natural de São Paulo".[28]

1697 Funda-se, no Rio de Janeiro, uma casa da moeda destinada a receber e taxar o ouro que começava a escoar de Minas Gerais. Em 1767, o sábio e viajante francês Louis Antoine de Bougainville, que visitou o Rio de Janeiro durante uma viagem de circum-navegação, deixou o seguinte registro sobre tão útil instituição, que àquela altura vivia dias de grande prosperidade: "A Casa da Moeda do Rio de Janeiro é um dos mais belos prédios existentes na cidade. Ele é dotado de todas as comodidades necessárias para realizar com agilidade as operações que aí têm lugar. Como o ouro chega das minas quase ao mesmo tempo em que as frotas chegam de Portugal, é necessário que o trabalho de fundição seja rápido, o que é conseguido com uma eficácia surpreendente".[29]

1698 Em 15 de outubro Borba Gato recebe carta patente com perdão por seu crime e a nomeação para o posto de lugar-tenente. Ao encontrar o governador Artur de Sá e Menezes, o ex-foragido diz-lhe que, em gratidão ao perdão e às honrarias que recebeu, dará ao rei de Portugal conhecimento de "minas tão abundantes de ouro que seriam uma nova fonte de riqueza para a coroa e prosperidade para seus vassalos".

1699 As notícias da descoberta do ouro em larga escala na região do rio das Mortes, notícias que circulavam de boca a boca, a partir da província de São Paulo — onde habitava a parentada de Borba Gato —, pela colônia e pela metrópole desde 1692, ganham o mundo, o Velho Mundo, e começam a frequentar um dos grandes veículos de propaganda daqueles tempos: as narrativas de viagem.

1700 Publicam-se na Europa as primeiras notícias sobre a existência no interior do Brasil de "uma república de aventureiros" exóticos, que se autodenominavam paulistas, e sobre os feitos desses homens, que tinham descoberto ouro em grande quantidade nos territórios que habitavam. O viajante espanhol Francisco Coreal, de passagem pelo Rio de Janeiro em 1696, registra em seu diário de viagem o seguinte boato: "Dizem que a região é muito rica em ouro e prata e que os paulistas estão longe de pagar o quinto de tudo o que encontram; o que, provavelmente, é verdade. Todavia, como obrigar essa gente, que não só vive no meio de montanhas inacessíveis como ainda instala constantemente novas defesas naqueles lugares em que crê que a natureza é falha, a pagar tributo com lisura?".[30]

1701 O renomado navegador William Dampier, autor de verdadeiros *best-sellers* da literatura de viagem, depois de visitar a Bahia e tecer diversos comentários sobre as riquezas que circulavam pelos portos do Rio de Janeiro e de Salvador, registrou em seu *Viagem à Nova Holanda* [Austrália]: "Os outros portos do país não são dignos de nota, salvo o de São Paulo [Santos], por onde muito ouro é escoado. Os habitantes deste lugar, no entanto, são tidos como uma espécie de *banditti*, de gente perdida, sem nenhum governo. O ouro que extraem lhes permite obter todas as coisas de que têm necessidade: roupas, armas, munições, etc.".[31]

1703 Impressionado com a febre do ouro que tomou conta dos cariocas daqueles tempos, um traficante de escravos francês, a caminho de Buenos Aires, anotou numa carta escrita do Rio de Janeiro para um amigo em Paris: "O Rio de Janeiro, tal como se encontra, é uma das mais importantes colônias portuguesas e, talvez, a mais bem localizada. Contudo, a cidade seria muito diferente caso as minas não tivessem sido descobertas. Depois de tal acontecimento, que teve lugar em 1696, mais de 10 mil homens abandonaram a cidade. Tal deserção trouxe a fome para a região, pois boa parte dos homens que partiram se dedicavam ao cultivo da terra. Quando abandonaram a região, esses homens deixaram as suas plantações desertas e as suas terras incultas".[32]

1707 Eclode, na ainda rústica região das minas, a Guerra dos Emboabas, opondo os desbravadores da região, os paulistas, aos forasteiros que vieram atraídos posteriormente pelas notícias da descoberta — portugueses e migrantes das demais partes do Brasil, sobretudo —, apelidados pelos paulistas de emboabas. A guerra causou grande desassossego nas cidades do litoral e obrigou as autoridades a despender meios e gente para impor ordem na região e estabelecer algum controle sobre a exploração do ouro. Em 1734, Simão Ferreira Machado, um lisboeta morador de Vila Rica, rememorando os tempos do conflito, escreveu no seu *Triunfo eucarístico, exemplar da Cristandade Lusitana*: "A exuberante cópia do ouro destas minas deu logo um estrondoso brado, cujos ecos soaram nos mais distantes e recônditos seios de toda a América; alteraram a muitos moradores do Brasil a cultura dos campos; fizeram outros vacilantes; a muitos nos cabedais inferiores e outros oprimidos da necessidade fizeram subir a este zênite da riqueza; convidando a uns com esperança de melhoras, a outros com princípio de prosperidade: e porque os primeiros habitadores do trabalho do caminho passaram logo à felicidade da fortuna, quase ao mesmo tempo, ou com pouco intervalo, vendo e habitando a terra, e possuindo a afluência do ouro, em breve tempo das cidades e lugares marítimos sobreveio inumerável multidão; uns com cobiça de fácil fortuna, outros anelando remédio à necessidade".[33]

1708 À medida que passam os anos e as notícias sobre o ouro se tornam mais frequentes, consolida-se no Velho Mundo a percepção de que o Rio de Janeiro era a mais rica e próspera cidade dos domínios portugueses da América, o escoadouro das enormes riquezas que saíam das minas. De olho na movimentação dos portos da colônia portuguesa, o navegador inglês Woodes Rogers procurou obter algumas notícias sobre a localização e o montante de tão comentadas riquezas, e registrou em seu diário de viagem: "Uns disseram que era necessário de dez a quinze dias de caminhada, outros, um mês, partindo da cidade portuária de Santos. É quase impossível saber a verdade, mas não há dúvidas de que o ouro encontrado no país é abundante. Os portugueses contaram-nos que, há mais ou menos um mês, os franceses, que frequentemente abordam as embarcações vindas das minas, saquearam alguns barcos que levavam mais de 1.200 libras de ouro — o ouro vai das minas para o Rio de Janeiro em barcos, pois o caminho por terra não é bom".[34]

1710-11 O jesuíta italiano estabelecido no Brasil André João Antonil dedica a terceira parte do seu *Cultura e opulência do Brasil por suas drogas e minas* a descrever as cobiçadas minas de ouro do Brasil, a história de sua descoberta, os volumes de ouro de lá retirados, a vida rústica e miserável dos primeiros mineradores e, sobretudo, os diversos caminhos que levavam do litoral à região mineradora. A respeito da primeira descoberta do metal na região, Antonil registrou: "Há poucos anos que se começaram a descobrir as minas gerais dos Cataguás, governando o Rio de Janeiro Artur de Sá; e o primeiro descobridor dizem que foi um mulato que tinha estado nas minas de Paranaguá e Curitiba. Este, indo ao sertão com uns paulistas a buscar índios, e chegando ao cerro Tripuí desceu abaixo com uma gamela para tirar água do ribeiro que hoje chamam do Ouro Preto, e, metendo a gamela na ribanceira para tomar água, e roçando-a pela margem do rio, viu depois que havia nela granitos da cor do aço, sem saber o que eram, nem os companheiros, aos quais mostrou os ditos granitos, souberam conhecer e estimar o que se tinha achado tão facilmente, e só cuidaram que aí haveria algum metal não bem formado, e por isso não conhecido. Chegando, porém, a Taubaté, não deixaram de perguntar que casta de metal seria aquele. E, sem mais exame, venderam a Miguel de Sousa alguns destes granitos, por meia pataca a oitava, sem saberem eles o que vendiam, nem o comprador que coisa comprava, até que se resolveram a mandar alguns dos granitos ao governador do Rio de Janeiro, Artur de Sá; e fazendo-se exame deles, se achou que era ouro finíssimo".[35]

1711   A censura régia, poucos meses antes do ataque de Duguay-Trouin ao Rio de Janeiro, manda recolher e queimar todos os exemplares do *Cultura e opulência do Brasil*. O livro, embora não contrariasse nenhum preceito moral ou religioso estabelecido, cometia uma indiscrição, como claramente explicava a proibição: "Nesta corte saiu proximamente um livro impresso nela com o nome suposto e com o título de *Cultura e opulência do Brasil*, no qual entre outras coisas que se referem pertencentes às fabricas e provimentos dos engenhos, cultura dos canaviais e benefício dos tabacos, se expõem também muito distintamente todos os caminhos que há para as minas do ouro descobertas, e se apontam outras que ou estão para descobrir ou por beneficiar. E como estas particularidades e outras muitas de igual importância, que se manifestam no mesmo livro, convém muito que se não façam públicas, nem possam chegar à notícia das nações estranhas pelos graves prejuízos que disso podem resultar".[36]

1713   Depois do enorme estrago feito por Duguay-Trouin, a Coroa, consciente de que o ouro e as pedrarias que saíam da região das minas e escoavam pelo porto carioca atraía para o Rio de Janeiro, e para as cidades costeiras da colônia, em geral, a cobiça dos estrangeiros, deu ordens para que as fortificações fossem reformadas por toda a costa, determinou que engenheiros baianos cuidassem das defesas de Salvador e do Espírito Santo e, ainda, estabeleceu que todas as fortalezas cariocas estivessem sempre armadas e guarnecidas.

1714   O explorador Frézier, em visita a Salvador, observa entre os soteropolitanos a existência de um sentimento que marcaria presença entre as populações costeiras do Brasil durante, pelo menos, todo o século XVIII: o receio de embarcações francesas e a desconfiança em relação aos naturais dessa nação. Frézier, contrariado, escreve em seu diário: "Ademais, de pouca utilidade ter-me-ia sido permanecermos ancorados por mais tempo neste porto, pois pessoas indiscretas da minha esquadra tinham me apresentado aos oficiais portugueses como um engenheiro, e não era conveniente que corresse o risco de me envolver em querelas numa cidade onde a viva lembrança da ainda recente expedição de Duguay-Trouin ao Rio de Janeiro tornava os franceses suspeitos. A guarda, com efeito, havia sido dobrada e novos corpos tinham sido estabelecidos com o propósito de vigiar as cinco embarcações da França que estavam ancoradas no porto, entre as quais havia dois navios de guerra, um de cinquenta e outro de setenta canhões".[37]

NOTAS

APRESENTAÇÃO: A PIRATARIA NO LITORAL BRASILEIRO, PP. 7-14

1. Homero, *Odisseia*, livro IX, pp. 192-194.
2. Plutarco, *Las vidas paralelas*, t. III, pp. 115-116.
3. Ver Pierre Chaunu, *A expansão europeia dos séculos XII ao XV*; Michel Mollat, *Les Explorateurs du XIIIe au XVI e siècle: premiers regards sur des mondes nouveaux*.
4. Ver Max Justo Guedes, *O descobrimento do Brasil*; Pierre Chaunu, op. cit.; Thomas Oscar Marcondes de Souza, *O descobrimento do Brasil*; William Brooks Greenlee, *The voyages of Pedro Álvares Cabral to Brazil and India from contemporary documents and narratives*.
5. António A. Banha de Andrade, *Mundos novos do mundo. Panorama da difusão pela Europa das notícias dos descobrimentos geográficos portugueses*; Vitorino Magalhães Godinho, *Os descobrimentos e a economia mundial*.
6. Ver Manuel Lucena Salmoral, *Piratas, bucaneros, filibusteros y corsarios en América*.
7. Os menonitas são um grupo religioso reformista, surgido na Europa do século XVI. O nome deriva do teólogo holandês Menno Simons (1496-1561), que articulou e formalizou os ensinamentos dos anabatistas suíços nos Países Baixos (Holanda).
8. Hugo Grotius, *Dissertation de Grotius sur la liberté des mers*, p. 21.
9. Manuel Lucena Salmoral, op. cit., p. 21.
10. Ibidem, pp. 13-47, 227-272.

I. THOMAS CAVENDISH (1591), PP. 17-53

1. Carta de novembro de 1588. *Calendar of State Papers, Spanish, 1587-1603*, IV, p. 481.
2. A Invencível Armada foi uma esquadra reunida pelo rei espanhol Filipe II, em 1588, para invadir a Inglaterra. Formada por 130 navios, 8 mil marinheiros e 18 mil soldados, a armada, preparada para embarcar um exército de 30 mil infantes, sofreu uma derrota devastadora na batalha naval de Gravelines, no canal da Mancha.
3. Estávamos, então, em plena União Ibérica (1580-1640), união dinástica entre as monarquias de Portugal e Espanha após a Guerra da Sucessão portuguesa. A união, a contragosto dos portugueses, colocou as coroas e suas respectivas possessões coloniais sob o controle da monarquia espanhola durante a chamada dinastia filipina.
4. "A letter of M. Thomas Candish to the right honourable the Lord Hunsdon, Lord Chamberlaine, one of her Majesties most honourable Privy Councell, touching the sucesse of his voyage about the world", em Richard Hakluyt, *The Principal Navigations*, v. XVI, p. 80. A carta é de 9 de setembro de 1588.
5. Vivien Kogut Lessa de Sá, *Between Elizabethan England and Brazil: A critical edition of Anthony Knivet's "Admirable Adventures"*, p. XXXVIII.
6. Anthony Knivet, *The admirable adventures and strange fortunes of master Antonie Knivet, wich went with Master Thomas Candish in his second voyage to the south sea. 1591*, em Samuel Purchas, *Hakluytus Posthumus or Purchas his pilgrimes in five bookes*, livro IV.
7. Vivien Kogut Lessa de Sá, op. cit., p. XXXVIII.
8. Gabriel Soares de Sousa, *Tratado descritivo do Brasil em 1587*, p. 40.
9. Hakluyt, citado em Eva G. R. Taylor, *The original writings and correspondence of the two Richard Hakluyts*, p. 141.
10. Kenneth R. Andrews, *Trade, plunder and settlement. Maritime enterprise and the genesis of the British Empire. 1480-1630*, p. 55.
11. Hakluyt, citado em Kenneth R. Andrews, "Beyond the equinocial: England and South America in the sixteenth century", p. 14.
12. Thomas Grigges, "Certaine notes of the voyage to Brasill with the Minion of London afore said, in the yeere 1580, written Thomas Grigges Purser of the said shippe", pp. 641-643.
13. John Whithal, "A letter written to M. Richard Stapers by John Whithall from Brasill, in Santos the 26 of June 1578", pp. 638-640.
14. Vivien Kogut Lessa de Sá, op. cit.
15. Philip Edwards, *Last Voyages. Cavendish, Hudson, Ralegh, The original narratives*, p. 23.
16. Anthony Knivet, *As incríveis aventuras e estranhos infortúnios de Anthony Knivet*, p. 35.

17. Ibidem, p. 37.
18. Fernão Cardim, *Tratados da terra e gente do Brasil*, p. 279.
19. Anthony Knivet, op. cit., p. 38.
20. Ibidem, p. 39.
21. Ibidem, p. 40.
22. Ibidem, p. 41.
23. John Jane, "The last voyage of the worshipful M. Thomas Candish... written by M. John Jane, a man of good observation, employed in the same and many other voyages", em Philip Edwards, op. cit., p. 99.
24. Anthony Knivet, op. cit., p. 41.
25. Ibidem, p. 41.
26. John Jane, op. cit., p. 99.
27. Anthony Knivet, op. cit., p. 42.
28. Philip Edwards, op. cit., p. 99.
29. Anthony Knivet, op. cit., pp. 46-47.
30. Serafim Leite, *História da Companhia de Jesus no Brasil*, t. I, p. 265.
31. Ibidem, p. 265.
32. José de Anchieta. *Cartas. Correspondência ativa e passiva*, p. 416.
33. Simão Vasconcellos, *Chronica da Companhia de Jesu do Estado do Brasil*, p. 100.
34. Sebastião de Abreu, *Vida e virtude no admirável padre João Cardim da Companhia de Jesus*, p. 8, citado em Cardim, op. cit., p. 278.
35. Serafim Leite, op. cit., p. 265.
36. Reza a história que Santa Úrsula, filha de um rei britânico cristão, que teria vivido entre os séculos III e IV, contrairia núpcias com um príncipe pagão e pediu ao pai três anos para peregrinar pela Europa em companhia de dez virgens, seguidas por mais mil virgens para cada uma das principais. A caminho de Colônia, na Alemanha, as moças foram capturadas pelos hunos e decapitadas. A história ganhou grande repercussão na Europa a partir do século XV, o que levou, no século seguinte, à criação da Ordem das Ursulinas, dedicada à educação de meninas. Desde então, no local onde se acreditava que as jovens tinham sido martirizadas, foram encontradas diversas ossadas, que logo foram transformadas em "relíquias (restos sagrados) das onze mil virgens". Duas supostas cabeças das virgens desembarcaram na cidade de Salvador em 1575. Em 1577, uma cabeça foi recebida com grande festa em São Vicente.
37. José de Anchieta, *Poemas. Lírica portuguesa e tupi*, p. 51.
38. Ibidem, p. 34.

39. Simão Vasconcellos, op. cit., p. 100.
40. Gaspar da Madre de Deus, *Memórias para a história da capitania de S. Vicente*, 1797, p. 45.
41. Ibidem, pp. 95-96.
42. M. E. de Azevedo Marques, *Apontamentos históricos, geográficos, biográficos, estatísticos e noticiosos da província de São Paulo* [1879], p. 172, citado em Vivien Kogut Lessa de Sá, op. cit., p. XL.
43. Martin del Barco Centenera, *La Argentina y Conquista del Río de la Plata: con otros acaecimientos de los reynos del Peru, Tucuman, y estado del Brasil*, p. 299. Tradução livre.
44. Anthony Knivet, op. cit., p. 43.
45. Ibidem, pp. 42-43.
46. Ibidem, p. 44.
47. Ibidem, p. 44.
48. Ibidem, p. 45.
49. Glória Kok. *Peregrinações, conflitos e identidades indígenas nas aldeias quinhentistas de São Paulo*, XXV Simpósio Nacional de História, 2009.
50. Nota de Helio Viotti, em José de Anchieta, *Cartas. Correspondência ativa e passiva*, p. 420.
51. Ibidem, p. 420.
52. Anthony Knivet, op. cit., p. 45.
53. Ibidem, p. 45.
54. Zelia Nuttall (org.), *New light on Drake, a collection of documents relating to his voyage of circumnavigation 1577-1580*, p. 303.
55. Thomas Lodge, "To the gentlemen readers", em Philip Edwards, op. cit., p. 122.
56. Ibidem, p. 122.
57. Vivien Kogut Lessa de Sá, "O manuscrito roubado e o poeta elisabetano: encontros no Brasil no século dezesseis", em Fernanda Teixeira de Medeiros (org.). *Feminismos, identidades, comparativismos: vertentes nas literaturas de língua inglesa*, 2013.
58. Philip Edwards, op. cit., p. 47.
59. Anthony Knivet, op. cit., p. 47.
60. John Jane, op. cit., p. 101.
61. Thomas Cavendish, "Master Thomas Candish his discourse of his fatal and disastrous voyage to wards the South Sea, with his many disdventures in the Magellan Straits... written with his own hand to Sir Tristan Gorges, his executor", em Philip Edwards, op. cit., pp. 55-80.

62. Anthony Knivet, op. cit., p. 52.
63. John Jane, op. cit., p. 101.
64. Anthony Knivet, op. cit., pp. 52-53.
65. Ibidem, p. 54.
66. Ibidem, p. 56.
67. Serafim Leite, op. cit., p. 407.
68. Ibidem, p. 266.
69. Anthony Knivet, op. cit., p. 57
70. Thomas Cavendish, op. cit., pp. 62-63.
71. Anthony Knivet, op. cit., p. 58.
72. Ibidem, p. 60.
73. Ibidem, p. 60.
74. Ibidem, p. 61.
75. Ibidem, p. 61.
76. Thomas Cavendish, em Jean Marcel França, *A construção do Brasil na literatura de viagem dos séculos XVI, XVII e XVIII*, p. 343.
77. John Davies, em Philip Edwards, op. cit., p. 98.

II. JAMES LANCASTER (1595), PP. 55-84

1. "The well governed and prosperous voyage of M. James Lancaster, begun with three ships and a galley-frigat from London in October 1594, and intended for Fernambuck, the port-towne of Olinda in Brasil. In which voyage (besides the taking of nine and twenty ships and frigats) he surprized the sayd port-towne, being strongly fortified and manned; and held possession there of thirty dayes together (not with standing many bolde assaults of the enemy both by land and water) and also providently defeated their dangerous and almost inevitable fireworks. Here he found the cargazon or freight of a rich East Indian carack; which together great abundance of sugars, Brasil-wood, and cotton he brought from thence; lading there with fifteene sailes of tall ships and barks", em Richard Hakluyt, *The third and last volume of the voyages, navigations, traffiques, and discoveries of the English Nation*, pp. 708-715.
2. Henry Roberts, *Lancaster his allarums, honorable assaults and surprising of the block--houses and store-houses belonging to Fernand Bucke in Brasill*, em *The voyages of Sir James Lancaster to Brazil and the East Indies. 1591-1603*, pp. 52-73.
3. Henry Roberts, op. cit., p. 58.

4. Ibidem, p. 57.
5. Carta de Francesco Vendramini e Augustino Nani, embaixadores de Veneza em Madri, ao Dogde e ao senado. "Venice: June 1595", *Calendar of State Papers Relating to English Affairs in the Archives of Venice*, vol. 9: 1592-1603 (1897), pp. 161-162.
6. Clements R. Markham (org.), "The voyage of Captain James Lancaster to Pernambuco", em *The voyages of sir James Lancaster to the East Indies*, p. 35.
7. Lopez Vaz, *A discourse of the West Indies and South sea written by Lopez Vaz*, em Richard Hakluyt, *The third and last volume of the voyages, navigations, traffiques, and discoveries of the English Nation*, pp. 778-802.
8. Kenneth R. Andrews, *Elizabethan privateering: English privateering during the Spanish War, 1585-1603*, p. 77.
9. Fernão Cardim, *Tratados da terra e gente do Brasil*, p. 251.
10. Ibidem, p. 256.
11. F. A. Pereira da Costa, "Donatários de Pernambuco e governadores seus loco-tenentes", em *Revista do Instituto Arqueológico e Geográfico Pernambucano*, p. 19.
12. Evaldo Cabral de Mello, *Olinda restaurada. Guerra e açúcar no nordeste. 1630-1654*, p. 275.
13. Ibidem, p. 183.
14. Clements R. Markham, op. cit., p. 35.
15. Zelia Nuttall (org.), *New light on Drake, a collection of documents relating to his voyage of circumnavigation 1577-1580*, p. 396.
16. Clements R. Markham, op. cit., p. 47.
17. Robert Southey, *História do Brasil traduzida do inglês de Roberto Southey pelo Dr. Luiz Joaquim de Oliveira e Castro*, t. II, p. 21.
18. Clements R. Markham, op. cit., p. 47.
19. Ibidem, p. 38.
20. Ibidem, p. 38.
21. Clements R. Markham, op. cit., p. 38.
22. Ibidem, p. 40.
23. Paulo Berger, Antonio Pimentel Winz e Max Justo Guedes, "Incursões de corsários e piratas na costa do Brasil", em *História naval brasileira*, vol. 1, t. II, p. 519.
24. Clements R. Markham, op. cit., p. 41.
25. Ibidem.
26. Ibidem.
27. Thomas Stuart Willen, *Studies in Elizabethan foreign trade*, p. 9.
28. Henry Roberts, op. cit., p. 62.

29. Clements R. Markham, op. cit., p. 42.
30. Henry Roberts, op. cit., p. 62.
31. Ibidem, p. 62.
32. José Bernardo Fernandes Gama, *Memórias históricas da província de Pernambuco*, p. 145.
33. Sebastião de Vasconcellos Galvão, "Geografia pernambucana. Município do Recife", em *Revista do Instituto Arqueológico e Geográfico Pernambucano*, p. 234.
34. Carta do embaixador toscano em Madri, Francesco Guicciardini, de 10 de julho de 1595, em Sérgio Buarque de Holanda, "O projeto de colonização toscano no Brasil (1587-1609)", em *Revista de História*, p. 117.
35. Clements R. Markham, op. cit., pp. 42-43.
36. José Bernardo Fernandes Gama, op. cit., p. 145.
37. Eneida Beraldi Ribeiro, *Bento Teixeira e a "Escola de Satanás": o poeta que teve a "prisão por recreação, a solidão por companhia e a tristeza por prazer"*, p. 296.
38. Bento Teixeira, *Prosopopeia*, em Ivan Teixeira (org.), *Multiclássicos. Épicos*, p. 124.
39. Clements R. Markham, op. cit., p. 43.
40. Francisco Augusto Pereira da Costa, *Anais Pernambucanos*, v. 1, p. 373.
41. José Bernardo Fernandes Gama, op. cit., p. 146.
42. Clements R. Markham, op. cit., p. 45.
43. Evaldo Cabral de Mello, *Um imenso Portugal: história e historiografia*, p. 138.
44. Ambrósio Fernandes Brandão, *Diálogos das grandezas do Brasil*.
45. Joseph Joyce Jr., "Newcombe, Spanish influence on Portuguese administration", citado em Wolfgang Lenk, "Fiscalidade e administração fazendária na Bahia durante a guerra holandesa", em *História Econômica & História de Empresas*, v. 13.
46. Clements R. Markham, op. cit., pp. 44-45.
47. Ibidem, p. 45.
48. Ibidem, p. 46.
49. Ibidem, p. 48.
50. Bento Teixeira, op. cit., pp. 132-133.
51. Ibidem, p. 133.
52. Ibidem, p. 134.
53. Ibidem, p. 133.
54. Clements R. Markham, op. cit., p. 48.
55. José Bernardo Fernandes Gama, op. cit., p. 148.
56. F. A. Pereira da Costa, op. cit., p. 65.

57. Clements R. Markham, op. cit., pp. 47-48.
58. Ibidem, p. 48.
59. Ibidem, p. 45.
60. Henry Roberts, op. cit., p.64.
61. Clements R. Markham, op. cit., p. 51.
62. Sebastião de Vasconcellos Galvão, op. cit., p. 234.
63. Henry Roberts, op. cit., p. 66.
64. Ibidem, p. 68.
65. Ibidem, p. 71.
66. Bento Teixeira, op. cit., p. 131.
67. Henry Roberts, op. cit., p. 67.
68. Ibidem, p. 67.
69. Ibidem, p. 71.
70. Ibidem, p. 71.
71. Ibidem, pp. 70-71.
72. Ibidem, p. 68.
73. Talvez Pitimbu, no atual estado da Paraíba, porto de grande profundidade e abrigado, antes conhecido como Porto dos Franceses.
74. Clements R. Markham, op. cit., p. 55.
75. Kenneth R. Andrews, op. cit., p. 127.
76. Clements R. Markham, op. cit., p. 50.

III. JEAN-FRANÇOIS DU CLERC (1710), PP. 87-118

1. François Froger, *Relation d'un voyage fait en 1695, 1696 & 1697 aux côtes d'Afrique, détroit de Magellan, Brésil, Cayenne & Isles Antilles*, em Jean Marcel Carvalho França, *Visões do Rio de Janeiro colonial. Antologia de textos (1531-1800)*, p. 67.
2. William Dampier, em Jean Marcel Carvalho França, *A construção do Brasil na literatura de viagem dos séculos XVI, XVII e XVIII*.
3. *Journal d'un voyage*, em Jean Marcel Carvalho França, *Visões do Rio de Janeiro colonial*, op. cit., p. 486.
4. Ver Charles La Roncière, *Histoire de la marine française. Le crépuscule du grand règne, l'apogée de la guerre de course*.

5. *Relaçam da vitoria que os portuguezes alcançarao no Rio de Janeyro contra os Francezes*, em 19 de setembro de 1710, p. 2.
6. Augusto Fausto de Souza, "Fortificações no Brasil", em *Revista do Instituto Histórico e Geográfico Brasileiro*, t. LXVIII, parte II, p. 16.
7. Carta do frei Francisco de Menezes para o duque de Cadaval, em *Revista do Instituto Histórico e Geográfico Brasileiro*, t. LXIX, pp. 53-75.
8. *Relaçam da vitoria que os portuguezes alcançarao no Rio de Janeyro contra os Francezes*, op. cit., p. 4.
9. Ibidem, p. 2.
10. Jean Baptiste Labat, *Nouveau Voyage aux isles Françoises de l'Amérique*, p. 171.
11. Charles Sévin, marquês de Quincy, *Histoire militaire du regne de Louis le Grand, roy de France: enrichie des plans necessaires. On y a joint un traité particulier de pratiques & de maximes de l'art militaire*. D. Mariette, pp. 286-289.
12. Charles La Roncière, op. cit., pp. 527-530.
13. O autor desta relação é, provavelmente, Nicolas-François Arnoult de Vaucresson, administrador da Martinica entre 1706 e 1716. Vaucresson, por certo, ouviu a narrativa da boca dos marinheiros que voltaram para a ilha caribenha depois do ataque à cidade ou depois de libertos, em 1711, pelos homens de Duguay-Trouin, especialmente de Etiénne Mauclerc, que parece ter se instalado no Caribe passado o pesadelo vivido no Rio de Janeiro. Ver *Relation de l'expedition de Rio-Janeiro*.
14. Ibidem, p. 2.
15. Ibidem, p. 6.
16. *Relaçam da vitoria que os portuguezes alcançarao no Rio de Janeyro contra os Francezes*, op. cit., p. 414.
17. Ibidem, loc. cit.
18. Ibidem, loc. cit.
19. Ibidem, p. 18.
20. Ibidem, p. 19.
21. *Relaçam da vitoria que os portuguezes alcançarao no Rio de Janeyro contra os Francezes*, op. cit., p. 416.
22. Ibidem, p. 415.
23. Ibidem, p. 6.
24. Carta do frei Francisco de Menezes para o duque de Cadaval, op. cit., p. 57.
25. Ibidem, p. 61.
26. ANÔNIMO, op., cit. pp. 22-23.
27. Carta do frei Francisco de Menezes para o duque de Cadaval, op. cit., p. 62.

28. ANÔNIMO, op. cit., p. 25.
29. Carta do frei Francisco de Menezes para o duque de Cadaval, op. cit., p. 62.
30. ANÔNIMO, op. cit., p. 25
31. *Relaçam da vitoria que os portuguezes alcançarao no Rio de Janeyro contra os Francezes*, op. cit., p. 418.
32. ANÔNIMO, op. cit., p. 27.
33. Carta do frei Francisco de Menezes para o duque de Cadaval, op. cit., p. 42.
34. ANÔNIMO, op. cit., p. 32.
35. "Diversos bandos dos tempos coloniais — Artilharia das naos francezes queimadas no Rio de Janeiro", em *Revista do Instituto Histórico e Geográfico Brasileiro*, t. LV, p. 207.
36. Carta do frei Francisco de Menezes para o duque de Cadaval, op. cit., p. 62.
37. Ibidem, p. 70.
38. "Diversos bandos dos tempos coloniais — Artilharia das naos francezes queimadas no Rio de Janeiro", op. cit., p. 208.
39. Sebastião da Rocha Pita, *História da América Portugueza, desde o anno de mil e quinhentos do seu descobrimento, até o de mil e setecentos e vinte e quatro*, p. 573.
40. "Diversos bandos dos tempos coloniais — Artilharia das naos francezes queimadas no Rio de Janeiro", op. cit., p. 208.
41. Louis Chancel de Lagrange, *Campagne du Brésil faite contre les Portugais*, em Jean Marcel Carvalho França, *Outras visões do Rio de Janeiro colonial, Antologia de textos (1581-1808)*, p. 149.
42. Carta do frei Francisco de Menezes para o duque de Cadaval, op. cit., p. 70.
43. Fac-símile do atestado de óbito de Du Clerc, em Gastão Ruch Sturzeneker, "João Francisco du Clerc. Fragmentos de uma memória", *Revista do Instituto Histórico Geográfico Brasileiro*, vol. especial, p. 507.
44. Ibidem, p. 514.
45. M. de La Flotte. *Essais historiques sur L'Inde précédés d'un journal de voyages et d'une description géographique de la Côte de Coromandel*, em Jean Marcel Carvalho França, *Visões do Rio de Janeiro Colonial. Antologia de Textos (1531-1800)*, p. 141.
46. François Vivez, *Voyage autour du monde par la frégate et la flûte du roi la Bondeuse et l'Étoile pendant les années 1766, 67, 68 et 69*, em Jean Marcel Carvalho França, *A construção do Brasil na literatura de viagem dos séculos XVI, XVII e XVIII*, p. 590.
47. Phelipeaux de Pontchartrain. "Lettre", em Gastão Ruch Sturzeneker, op. cit., pp. 515-516.
48. ANÔNIMO, op. cit., p. 14.

IV. RENÉ DUGUAY-TROUIN, PP. 121-159

1. Guillaume François Parscau, *Journal Historique ou Relation de ce qui s'est passé de plus mémorable dans la campagne de Rio de Janeiro par l'escadre du Roi commandés par M. Duguay-Trouin en 1711*, em Jean Marcel Carvalho França, *Outras Visões do Rio de Janeiro colonial. Antologia de textos (1581-1808)*, p. 75.
2. Louis Chancel de Lagrange, *Campagne du Brésil faite contre les Portuguais*, em Jean Marcel Carvalho França, op. cit., p. 140.
3. René Duguay-Trouin, *Mémoires...*, em Jean Marcel Carvalho França, op. cit., p. 60.
4. *Lettre de noblesse*, em René Duguay-Trouin, *Memoires de Monsieur du Guay-Trouin, Lieutenant Général des Armées de France, et Comandeur de l'Orde Militaire de Saint Louis*, p. 454.
5. Ibidem, p. 285.
6. Ibidem, p. 287.
7. Ibidem, p. 347.
8. Ibidem, p. 367.
9. Ibidem, p. 400.
10. *Lettre de noblesse*, em René Duguay-Trouin, op. cit., pp. 453- 457.
11. René Duguay-Trouin, op. cit., p. 403.
12. Ibidem, p. 407.
13. Ibidem, p. 51.
14. Guillaume François Parscau, op. cit., p. 68.
15. Louis Chancel de Lagrange, *Campagne du Brésil faite contre les Portuguais*, op. cit., p. 131.
16. Ibidem, p. 132.
17. Joseph Collet, *Private Letter books of Joseph Collet*, em Jean Marcel Carvalho França, op. cit., pp. 163-164.
18. Jonas Finck, *Carta*, em Jean Marcel Carvalho França, *Visões do Rio de Janeiro colonial. Antologia de textos (1531-1800)*, op. cit., p. 89.
19. Ibidem, pp. 90-91.
20. René Duguay-Trouin, op. cit., p. 52.
21. Guillaume François Parscau, op. cit., p. 69.
22. Ibidem, p. 74.
23. Ibidem, p. 77.
24. Ibidem, p. 77.

25. Louis Chancel de Lagrange, op. cit., p. 141.
26. Guillaume François Parscau, op. cit., p. 77.
27. Memórias, p. 55
28. Guillaume François Parscau, op. cit., p. 90.
29. Ibidem, p. 56.
30. René Duguay-Trouin, *Memórias*, em Jean Marcel Carvalho França, op. cit., p. 56.
31. Louis Chancel de Lagrange, op. cit., p. 143.
32. René Duguay-Trouin, *Memórias*, em Jean Marcel Carvalho França, op. cit., p. 56.
33. Louis Chancel de Lagrange, op. cit., p. 144.
34. Ibidem, loc. cit.
35. Ibidem, loc. cit.
36. René Duguay-Trouin, *Memórias*, em Jean Marcel Carvalho França, op. cit., p. 57.
37. Ibidem, pp. 57-58.
38. Ibidem, p. 59.
39. Carta de René Duguay-Trouin para o governador Castro Morais, em Guillaume François Parscau, op. cit., p. 99.
40. Carta de Francisco de Castro Morais a René Duguay-Trouin, em René Duguay-Trouin, op. cit., p. 61.
41. Guillaume François Parscau, op. cit., p. 100.
42. Ibidem, p. 101.
43. Ibidem, p. 103.
44. Ibidem, p. 106.
45. Ibidem, p. 105.
46. Louis Chancel de Lagrange, op. cit., p. 121.
47. René Duguay-Trouin, *Memórias*, em Jean Marcel Carvalho França, op. cit., p. 64.
48. Ibidem, p. 64.
49. Ibidem, loc. cit.
50. Ibidem, loc. cit.
51. Guillaume François Parscau, op. cit., p. 112.
52. Francisco de Castro Morais, *Relação da infeliz desgraça que sucedeu na cidade do Rio de Janeiro com a guerra que segunda vez lhe foram fazer os franceses em setembro de 1711*, em Anais do IV Congresso de História Nacional. Instituto Histórico e Geográfico Brasileiro, p. 186.
53. Ibidem, pp. 186-187.

54. Ibidem, p. 187.
55. Ibidem, p. 188.
56. Ibidem, p. 190.
57. Ibidem, p. 190.
58. Ibidem, p. 190.
59. Ibidem, p. 191.
60. Ibidem, p. 192.
61. Carta de Francisco de Castro Morais à René Duguay-Trouin, p. 192.
62. Ibidem, p. 193.
63. *Relação da chegada da armada franceza a este Rio de Janeiro*, em Eduardo Brazão, *As expedições de Duclerc e de Duguay-Trouin ao Rio de Janeiro (1710-1711)*, p. 38.
64. Ibidem, p. 38.
65. Ibidem, p. 38.
66. Ibidem, p. 39
67. Ibidem, p. 39
68. *Resposta que deu o Governador Francisco de Castro Morais às capitulações do General francês Monsieur Duguay-Trouin sobre a compra desta cidade do Rio de Janeiro*, em Eduardo Brazão, op. cit., p. 40.
69. *Carta que o governador de São Paulo e Minas, Antônio de Albuquerque Coelho de Carvalho escreveu ao governador-geral da Bahia Dom Lourenço de Almada*, em Anais do IV Congresso de História Nacional. Instituto Histórico e Geográfico Brasileiro, pp. 193-194.
70. Ibidem, p. 194.
71. Ibidem, p. 194.
72. Carta de Francisco Xavier de Castro Morais dirigida a Louis de Chancel de Lagrange, em Louis Chancel de Lagrange, *A tomada do Rio de Janeiro em 1711 por Duguay-Trouin*, p. 8.
73. *Carta que o governador de São Paulo e Minas, Antônio de Albuquerque Coelho de Carvalho escreveu ao governador-geral da Bahia Dom Lourenço de Almada*, p. 195.
74. Ibidem, p. 197.
75. Ibidem, p. 197.
76. Ibidem, p. 199.
77. Ibidem, p. 206.
78. Ibidem, p. 238.
79. Ibidem, p. 238.

80. *Carta do mesmo ao secretário de Estado, Diogo de Mendonça, sobre o levantamento do povo. Governador da Bahia*, em Anais do IV Congresso de História Nacional. Instituto Histórico e Geográfico Brasileiro, p. 239.
81. Ibidem, p. 202.

CENÁRIOS DAS INVASÕES, P. 161-181

1. Pero Lopes de Sousa, *Diário da navegação de Pero Lopes de Sousa*, p. 26.
2. João de Azpilcueta Navarro, em Sheila M. Hue, *Primeiras cartas do Brasil*, pp. 131--132.
3. Anais do III Congresso de História Nacional, vol. 7, p. 34.
4. André Thevet, *As singularidades da França Antártica*, p. 176.
5. Joaquim Veríssimo, *O Rio de Janeiro no século XVI. Documentos dos arquivos portugueses*, vol. 2, p. 49.
6. Leonardo do Valle, em *Cartas avulsas*, p. 388.
7. Balthasar Fernandes, em *Cartas avulsas*, pp. 508-509.
8. Pero de Magalhães Gândavo, *A primeira história do Brasil*, p. 178.
9. Ibidem, p. 173.
10. Richard Hakluyt (org.), *The Principal Navigations*, p. 639.
11. Richard Hakluyt, citado em Kenneth R. Andrews, "Beyond the equinocial: England and South America in the sixteenth century", *The Journal of Imperial and Commonwealth History*, p. 14.
12. Richard Hakluyt, citado em Eva G. R. Taylor, *The original writings and correspondence of the two Richard Hakluyts*, p. 141.
13. Simancas, 'October 1580', *Calendar of State Papers, Spain* (Simancas), vol. 3, 1580-1586 (1896), pp. 52-63. Disponível em: <www.british-history.ac.uk/report.aspx?compid=87077&strquery=brazil>, acesso em 18 ago. 2014.
14. Frei Vicente do Salvador, *História do Brasil. 1500-1627*, p. 216.
15. Fernão Cardim, *Tratados da terra e gente do Brasil*, p. 255.
16. Ibidem, p. 244.
17. Gabriel Soares de Sousa, *Tratado descritivo do Brasil em 1587*, p. 351.
18. Ibidem, p. 40.
19. John Sarracol, em Richard Hakluyt (org.), *The Principal Navigations*, p. 774.
20. Francisco Soares, *Coisas notáveis do Brasil*, p. 9.
21. Ibidem, p. 11.

22. Frei Vicente do Salvador, *História do Brasil. 1500-1627*, pp. 279-280.
23. Heinrich Ottssen, *Corto e verídico relato de la desgraciada navegación de un buque de Amsterdam, llamado el Mundo de Planta* [...]. Buenos Aires: Editorial Huarpes, 1945.
24. Frei Vicente do Salvador, op. cit., p. 275.
25. Diogo de Botelho, "Correspondência", *Revista do Instituto Histórico e Geográfico Brasileiro*, citado em Paulo Berger, Antonio Pimentel Winz e Max Justo Guedes, "Incursões de corsários e piratas na costa do Brasil", em *História naval brasileira*, vol. 1, t. II, p. 505.
26. Gabriel Dellon, *Relation de l'Inquisition de Goa*, em Jean Marcel Carvalho França, *A construção do Brasil na literatura de viagem dos séculos XVI, XVII e XVIII*, p. 428.
27. Stuart B. Schwartz e Alcir Pécora (orgs.), *As excelências do governador. O panegírico fúnebre a D. Afonso Furtado, de Juan Lopes Sierra (Bahia, 1676)*, p. 127.
28. Cláudio Manuel da Costa, "Vila Rica", em Domício Proença Filho. *A poesia dos inconfidentes: poesia completa de Cláudio Manuel da Costa, Tomás Antônio Gonzaga e Alvarenga Peixoto*, p. 365.
29. Louis Antoine de Bougainville, *Voyage autour du Monde, par La Frégate du Roi La Bondeuse et La Flûte L'Étoile; En 1766, 1767, 1768 & 1769*, em Jean Marcel Carvalho França, *Visões do Rio de Janeiro colonial. Antologia de textos (1531-1800)*, pp. 164-165.
30. Jean François Coreal, *Voyages de Jean François Coreal aux Indes Occidentales*, em Jean Marcel Carvalho França, op. cit., pp. 441-442.
31. William Dampier, *A Voyage to New Holland*, em Jean Marcel Carvalho França, op. cit., p. 477.
32. *Journal d'un Voyage sur les Costes d'Afrique et aux Indes d'Espagne*, em Jean Marcel Carvalho França, *Visões do Rio de Janeiro colonial. Antologia de textos (1531-1800)*, p. 41.
33. Simam Ferreira Machado, *Triunfo Eucharistico. Exemplar da Christandade Lusitana*, pp. 15-16.
34. Woodes Rogers, *A cruising Voyage round the world: first to the South Seas, thence to the East Indies, and homewards by the cape of Good Hope*, em Jean Marcel Carvalho França, *A construção do Brasil na literatura de viagem dos séculos XVI, XVII e XVIII*, p. 494.
35. André João Antonil, *Cultura e opulência do Brasil por suas drogas e minas*, pp. 231--232.
36. Ibidem, p. 52.
37. Amédée François Frézier, *Relation du voyage de la mer du Sud aux côtes du Chili et du Pérou*, em Jean Marcel Carvalho França, *A construção do Brasil na literatura de viagem dos séculos XVI, XVII e XVIII*, pp. 505-506.

BIBLIOGRAFIA

ANAIS DO III CONGRESSO DE HISTÓRIA NACIONAL. Instituto Histórico e Geográfico Brasileiro. Rio de Janeiro: Imprensa Nacional, 1942, vol. 7.

ANAIS DO IV CONGRESSO DE HISTÓRIA NACIONAL. Instituto Histórico e Geográfico Brasileiro. Rio de Janeiro: Departamento de Imprensa Nacional, 1950.

ANCHIETA, Pe. José de. *Cartas jesuíticas 3. Informações, Fragmentos históricos e sermões*. Belo Horizonte; São Paulo: Itatiaia; Edusp, 1988.

——————. *Cartas. Correspondência ativa e passiva. Obras completas*. Pesquisa, introdução e notas Pe. Hélio Abranches Viotti, S. J. São Paulo: Loyola, 1984, vol. 6.

——————. *Poemas. Lírica portuguesa e tupi*. Edição preparada por Eduardo de Almeida Navarro. São Paulo: Martins Fontes, 2004.

ANDRADE, António A. Banha de. *Mundos novos do mundo. Panorama da difusão pela Europa das notícias dos descobrimentos geográficos portugueses*. Lisboa: Junta de Investigações do Ultramar, 1972, 2 vols.

ANDREWS, Kenneth R. "Beyond the equinocial: England and South America in the sixteenth century". *The Journal of Imperial and Commonwealth History*, 10:1, pp. 4-24, 1981.

——————. *Drake in South America*. In: THROWER, Norman J. W. (org.). *Sir Francis Drake and the famous voyage, 1577-1580*. Berkeley: University of California Press, 1984b, pp. 49-59.

——————. *Elizabethan privateering: English privateering during the Spanish War, 1585-1603*. Cambridge: Cambridge University Press, 1966.

——————. *Trade, plunder and settlement. Maritime enterprise and the genesis of the British Empire. 1480-1630*. Cambridge: Cambridge University Press, 1984a.

Antonil, André João. *Cultura e opulência do Brasil por suas drogas e minas*. Lisboa: Comissão Nacional para as comemorações dos descobrimentos portugueses, 2001.

Armitage, David. *The ideological origins of the Bristish Empire*. Cambridge: Cambridge University Press, 2000.

Ataque e tomada da cidade do Rio de Janeiro pelos franceses em 1711 sob o comando de Duguay Trouin. *Revista do Instituto Histórico e Geográfico Brasileiro*, t. XLVII, pp. 61--85, 1884.

Baudet, Henri. *Paradise on earth. Some thoughts on european images of non-european man*. New Haven; Londres: Yale University Press, 1965.

Beckingham, C. F. "Lancaster, Sir James (1554/5-1618)". *Oxford Dictionary of National Biography*. Oxford: Oxford University Press, 2004.

Berger, Paulo; Winz, Antonio Pimentel & Guedes, Max Justo. "Incursões de corsários e piratas na costa do Brasil". In: *História naval brasileira*. Rio de Janeiro: Serviço Geral de Documentação da Marinha, vol. 1, t. II, pp. 475-521, 1975.

Black, Clinton V. *Pirates of the West Indies*. Cambridge: Cambridge University Press, 1989.

Bonfils, conde de. *Histoire de la marine française*. Paris: Dentu, 1845.

Bonnichon, Philippe. "Imagem e conhecimento do Brasil: difusão na França de Luís XII até Luís XIII". In: *Naissance du Brésil moderne 1500-1808*. Sob a direção de Katia de Queiros Mattoso, Idelette Muzart-Fonseca dos Santos e Denis Rolland. Paris: Presses de l'Université de Paris-Sorbonne, 1998.

Boxer, Charles R. *A idade do ouro do Brasil*. Rio de Janeiro: Nova Fronteira, 2000.

Brandão, Ambrósio Fernandes. *Diálogos das grandezas do Brasil*. Salvador: Progresso, 1956.

Brandon, William. *New worlds for old: reports from the New World and their effect on the development of social thought in Europe (1500-1800)*. Athens: Ohio University Press, 1986.

Brazão, Eduardo. *As expedições de Du Clerc e de Duguay-Trouin ao Rio de Janeiro (1710-1711)*. Lisboa: Divisão de Publicações e Biblioteca, 1940.

Brenner, Robert. *Merchants and revolution: commercial change, political conflict, and London's over seas traders, 1550-1653*. Londres: Verso, 2003.

Calendar of State Papers, Spanish, 1587-1603, Londres: HMSO, 1899, IV.

Calendar of State Papers Relating to English Affairs in the Archives of Venice, vol. 9, pp. 161-162, 1592-1603 (1897).

Calmon, Pedro. "O Rio de Janeiro da conquista à fundação e expulsão dos franceses". *Revista do Instituto Histórico e Geográfico Brasileiro*, vol. 276, pp. 11-23, 1967.

Cardim, Fernão. *Tratados da terra e gente do Brasil*. Transcrição do texto, introdução e notas por Ana Maria Azevedo. Lisboa: CNCDP, 1997.

Carvalho, Antônio de A. C. "Carta ao governador geral da Bahia Dom Lourenço de Almada". In: ANAIS *do IV Congresso de História Nacional. Instituto Histórico e Geográfico Brasileiro*. Rio de Janeiro: Departamento de Imprensa Nacional, 1950.

CARTA de Francesco Vendramini e Augustino Nani, embaixadores de Veneza em Madri, ao Dogde e ao senado. "Venice: June 1595", *Calendar of State Papers Relating to English Affairs in the Archives of Venice*, vol. 9, pp. 161-162, 1592-1603 (1897).

CARTA do frei Francisco de Menezes para o duque de Cadaval. *Revista do Instituto Histórico e Geográfico Brasileiro*, t. LXIX, pp. 53-75, 1908.

CENTENERA, Martin Del Barco. *La Argentina y Conquista del Río de la Plata: con otros acaecimientos de los reynos del Peru, Tucuman, y estado del Brasil*. Lisboa: Pedro Crasbeeck, 1602.

CHAPMAN, A. B. "The commercial relations of England and Portugal. 1487-1807" *Transactions of the Royal Historical Society, 3rd series*, vol. 1, pp. 157-179, 1907.

CHAUNU, Pierre. *A América e as Américas*. Lisboa; Rio de Janeiro: Cosmos, 1969.

——————. *A expansão europeia dos séculos XII ao XV*. São Paulo: Pioneira, 1978.

DELOBETTE, Edouard. "Les mutations du commerce maritime du Havre, 1680-1730 [Première partie]". In: *Annales de Normandie*, ano 51, n. 1, pp. 3-69, 2001.

DICKASON, Olive Patricia. "The Brazilian connection. A look at the origin of French techniques for trading with Amerindians". *Revue française d'histoire d'outre-mer*, t. 71, n. 264-265, pp. 129-146, 3º e 4º trimestres 1984.

DIVERSOS bandos dos tempos coloniais. Artilharia das naos francezes queimadas no Rio de Janeiro. *Revista do Instituto Histórico e Geográfico Brasileiro*, t. LV, pp. 205-218, 1892.

DU PLESSIS-PARSEAU. *Expedição francesa contra o Rio de Janeiro em 1711*. Rio de Janeiro: Imprensa Nacional, 1942.

DUGUAY-TROUIN, René. *Memoires de Monsieur du Guay-Trouin, Lieutenant Général des Armées de France, et Comandeur de l'Orde Militaire de Saint Louis*. s./d.

DURAND, René. "Le commerce en Bretagne au XVIIIe siècle". In: *Annales de Bretagne*, t. 32, n. 4, pp. 447-469, 1917.

EARLE, Peter. *Piratas en guerra*. Barcelona: Melusina, 2004.

EDWARDS, Philip. *Last voyages. Cavendish, Hudson, Ralegh, The original narratives*. Oxford: Clarendon Press, 1988.

EXQUEMELIN, Alexander Olivier. *Buccaneers of America*. Londres: Penguin, 1969.

FERNANDES GAMA, José Bernardo. *Memórias históricas da província de Pernambuco*. Pernambuco: Tipografia de M. F. de Faria, 1844-1848.

FERREZ, Gilberto. *O Rio de Janeiro e a defesa de seu porto*. Rio de Janeiro: Serviço de Documentação Geral da Marinha, 1972.

FOSTER, William (org.). *The voyages of Sir James Lancaster to Brazil and the East Indies. 1591-1603*. Introdução e notas sir William Foster. Londres: Hakluyt Society.

FRAGOSO, Augusto Tasso. *Os franceses no Rio de Janeiro*. Rio de Janeiro: Biblioteca do Exército, 2004.

FRANÇA, Almirante Mário Ferreira. Introdução. In: "A tomada do Rio de Janeiro em 1711 por Duguay-Trouin. Segundo a narrativa de Chancel de Lagrande". *Revista do Instituto Histórico e Geográfico Brasileiro*, vol. 270, pp. 3-11, 1966.

França, Jean Marcel Carvalho. *A construção do Brasil na literatura de viagem dos séculos XVI, XVII e XVIII*. Rio de Janeiro; São Paulo: José Olympio; Unesp, 2012.

———. *Outras visões do Rio de Janeiro colonial. Antologia de textos (1581-1808)*. Rio de Janeiro: José Olympio, 2000.

———. *Visões do Rio de Janeiro colonial. Antologia de textos (1531-1800)*. Rio de Janeiro: EDUERJ-José Olympio, 1999.

Freycinet, Louis de. *Voyage autour du monde*. Paris: [s.e.], 1811.

Froger, François. *Relation d'un voyage fait en 1695, 1696 et 1697 aux côtes d'Afrique, d'étroit de Magellan, Brésil, Cayenne et isles Antilles, par une escadre des vaisseaux du roy, commandée par M. De Gennes*. Paris: Quay de l'Horloge, 1698.

Frostin, Charles. "A propos d'un livre récent: Saint-Malo au temps de Louis XIV". In: *Annales de Bretagne et des pays de l'Ouest*, t. 101, n. 2, pp. 143-161, 1994.

Galvão, Sebastião de Vasconcellos. "Geografia pernambucana. Município do Recife". *Revista do Instituto Arqueológico e Geográfico Pernambucano*, n. 52. Pernambuco: Tipografia do Jornal do Recife, pp. 232-338, 1899.

Gândavo, Pero de Magalhães. *A primeira história do Brasil*. Rio de Janeiro: Zahar, 2004.

Ganns, Cláudio. "Memória de um marinheiro francês, no século XVII". *Revista do Instituto Histórico e Geográfico Brasileiro*, vol. 250, pp. 3-19, 1961.

Garcia Arias, Luis. *Historia del principio de la libertad de los mares*. Santiago de Compostela: E. U. C., 1948.

Garraux, A. L. *Bibliographie Brésilienne. Catalogue des ouvrages Français et Latin relatifs au Brésil (1500-1898)*. Paris: Ch. Chadenat-Jablonski, Vogt et Cie., 1898.

Gaspar da Madre de Deus. *Memórias para a história da capitania de S. Vicente*. Lisboa: Tipografia da Academia Real das Ciências, 1797.

Gill, Anton. *The devil's mariner: a life of William Dampier, pirate and explorer*. Londres: Michael Joseph, 1997.

Godinho, Vitorino Magalhães. *Os descobrimentos e a economia mundial*. 2ª ed. Lisboa: Presença, 1981-1984. 4 vols.

Gosse, Philiph. *History of Piracy*. Nova York: 1932 e 1968.

Greenlee, William Brooks. *The voyages of Pedro Álvares Cabral to Brazil and India from contemporary documents and narratives*. Londres: Hakluyt Society, 1938.

Grigges, Thomas, "Certaine notes of the voyage to Brasill with the Minion of London afore said, in the yeere 1580, written Thomas Grigges Purser of the said shippe". In: Hakluyt, Richard. *The Principal Navigations*. Londres: George Bishop-Ralph Newberie, 1589, pp. 641-64.

Grotius, Hugo. *Dissertation de Grotius sur la liberté des mers*. Tradução do latim, prefácio e notas A. Guichon de Grandpont. Paris: Impr. Royale, 1845.

Guedes, Max Justo. *O descobrimento do Brasil*. Lisboa: Vega, 1989.

HAKLUYT, Richard. *The Principal Navigations*. Editado por Edmund Goldsmid. Londres: E. &. G. Goldsmid, 1890, vol. XVI, parte II.

――――――. *The third and last volume of the voyages, navigations, traffiques, and discoveries of the English Nation*. Londres: George Bishop e Ralf Newbwrie, 1600.

HOLANDA, Sérgio Buarque de. "O projeto de colonização toscano no Brasil (1587-1609)". *Revista de História*, n. 142-143, p. 117, 2000.

HOMERO. *Odisseia*. Tradução de Manuel Odorico Mendes. Edição de Antônio Medina Rodrigues. São Paulo: Edusp, 1996.

HUE, Sheila Moura. *Ingleses no Brasil: relatos de viagem. 1526-1608*. Anais da Biblioteca Nacional, Rio de Janeiro, vol. 126 (2006), pp. 7-68, 2009.

――――――. *Primeiras cartas do Brasil*. Rio de Janeiro: Zahar, 2006.

INVASÃO do Rio de Janeiro – 1711. *Revista do Instituto Histórico e Geográfico Brasileiro*, t. 89, vol. 143, pp. 235-240, 1966.

JANE, John, "The last voyage of the worshipful M. Thomas Candish... written by M. John Jane, a man of good observation, employed in the same and many other voyages". In: EDWARDS, Philip. *Last Voyages. Cavendish, Hudson, Ralegh. The original narratives*. Oxford: Clarendon Press, 1988.

KNAUSS, Paulo. "Brasil, terra de corsários. Du Clerc e Duguay-Trouin. O conde D'Estaing". In: MARIZ, Vasco (org.). *Brasil-França: Relações históricas no período colonial*. Rio de Janeiro: Biblioteca do Exército, 2006.

――――――. "Os navegadores franceses na costa brasileira. No rastro do *L'espoir*. Os corsários franceses no Brasil". *Revista do Instituto Histórico e Geográfico Brasileiro*, vol. 444, pp. 39-102, 2009.

KNIVET, Anthony. *As incríveis aventuras e estranhos infortúnios de Anthony Knivet*. Introdução e notas de Sheila Moura Hue. Tradução de Vivien Kogut Lessa de Sá. Rio de Janeiro: Zahar, 2007.

――――――. "The admirable adventures and strange fortunes of master Antonie Knivet, wich went with Master Thomas Candish in his second voyage to the south sea".1591. In: PUCHAS, Samuel. *Hakluytus Posthumus or Purchas his pilgrimes in fivebookes*. London: H. Fetherston, 1625. Livro IV.

KOK, Glória. *Peregrinações, conflitos e identidades indígenas nas aldeias quinhentistas de São Paulo*. XXV Simpósio Nacional de História, 2009.

LA BRETAGNE, le Portugal, le Brésil: Echanges et rapports. Actes du Cinquantenaire de la création en Bretagne de l'enseignement du portugais. Paris: Les Presses du Palais Royal, 1973, 2 vols.

LA CROIX, Robert de. *Histoire de la Piraterie*. Saint Malo: L' ancre de marine, 1995.

LA RONCIÈRE, Charles. *Histoire de la marine française. Le crépuscule du grand règne, l'apogée de la guerre de course*. Paris: Plon, 1932.

LABAT, Jean Baptiste. *Nouveau Voyage aux isles Françoises de l'Amérique*. Paris: [s.e.], 1722.

LAGRANGE, Louis Chancel. *A tomada do Rio de Janeiro em 1711 por Duguay-Trouin*. Rio de Janeiro: Departamento de Imprensa Nacional, 1967.

LANDELLE, M. G. *Histoire de Duguay-Trouin*. Paris: Sagnier et Bray, 1844.

LEITE, Serafim. *História da Companhia de Jesus no Brasil*, t. I. Lisboa: Portugalia, 1938.

LENK, Wolfgang. "Fiscalidade e administração fazendária na Bahia durante a guerra holandesa". *Historia Econômica & História de Empresas*, [s.l.], vol. 13, n. 2, jul. 2012.

MACHADO, Simam Ferreira. *Triunfo Eucharistico. Exemplar da Chistandade Lusitana*. Lisboa: Officina da Música, 1734.

MALO, Henri. *Landolphe corsaire*. Paris: Bibliothèque de l'Institut maritime et colonial, 1943.

MARKHAM, Clements R. (org.). "The voyage of Captain James Lancaster to Pernambuco". In: *The voyages of sir James Lancaster to the East Indies* etc. Londres: Hakluyt Society, 1827, pp. 35-56.

——————. *The voyages of sir James Lancaster to the East Indies etc*. Londres: Hakluyt Society, 1827.

MAXWELL, Susan M. "Cavendish, Thomas". *Oxford Dictionary of National Biography*. Oxford: Oxford University Press, 2004.

MELLO, Evaldo Cabral de. *Olinda restaurada. Guerra e açúcar no nordeste. 1630-1654*. São Paulo: Editora 34, 2007.

——————. *Um imenso Portugal: história e historiografia*. São Paulo: Editora 34, 2002.

MELLO, José Antônio Gonsalves. *Confissões de Pernambuco, 1594-1595. Primeira visitação do Santo Ofício às partes do Brasil*. Recife: Universidade Federal de Pernambuco, 1970.

MOLLAT, Michel. *Études d'histoire maritime (1938-1975)*. Turim: Bottega d'Erasmo, 1977.

——————. *L'Europe et la mer*. Paris: Seuil, 1993.

——————. *Les Explorateurs du XIIIe au XVIe siècle: premiers regards sur un monde nouveau*. Paris: J.-C. Lattès, 1984.

MONTEIRO, Saturnino. *Batalhas e combates da Marinha Portuguesa: 1580-1603*. Lisboa: Sá da Costa, 1989.

MORAIS, Ronaldo. *Os arquivos da invasão. O corsário Du Clerc e a invasão do Rio de Janeiro em 1710*. Rio de Janeiro: [s.n.], 2007.

MOREIRA, Marcello. "Louvor e história em *Prosopopeia*". In: TEIXEIRA, Ivan (org.). *Multiclássicos. Épicos*. São Paulo: Edusp, 2008.

NAVARRO, Azpilcueta et al. *Cartas avulsas*. Belo Horizonte; São Paulo: Itatiaia; Edusp, 1988.

NERZIC, Jean-Yves. *Duguay-Trouin. Armateur Malouin, corsaire brestois*. Milon la Chapelle: H&D, 2012.

NUTTALL, Zelia (org.). *New light on Drake, a collection of documents relating to his voyage of circumnavigation 1577-1580*. Londres: Hakluyt Society, 1914.

O CORSÁRIO James Lancaster em Pernambuco, 1595. Tradução de Alfredo de Carvalho. *Revista do Instituto Arqueológico e Geográfico Pernambucano*, vol. XIII, pp. 441-463, 1908.

PADGEN, Anthony. *Europeans Encounters with the New World. From Renaissance to Romanticism*. New Haven; Londres: Yale University Press, 1993.

PEDROSA, Manuel Xavier de Vasconcellos. "A invasão do Rio de Janeiro pelos franceses". *Revista do Instituto Histórico e Geográfico Brasileiro*, vol. 236, pp. 448-457, 1957.

PEREIRA DA COSTA, Francisco Augusto. "Donatários de Pernambuco e governadores seus loco-tenentes". *Revista do Instituto Arqueológico e Geográfico Pernambucano*, n. 48. Pernambuco: Livraria e Tipografia de P. P. Boulitreau, pp. 3-28, 1896.

——————. "Capitães-mores governadores loco-tenentes de Pernambuco". *Revista do Instituto Arqueológico e Geográfico Pernambucano*, n. 50. Pernambuco: Tipografia do Jornal do Recife, pp. 59-91, 1897.

——————. *Anais Pernambucanos*, vol. 1. Recife: Arquivo Público Federal, 1951.

PIZARRO E ARAÚJO, José de Souza Azevedo. *Memórias históricas do Rio de Janeiro*. Rio de Janeiro: Imprensa Nacional. 1948, vols. I e II, pp. 47-77.

PLUTARCO. *Las vidas paralelas*. Tradução de Antonio Ranz Romanillos. Paris: Libreria de A. Mézin, 1847, t. III.

PONCETTON, François. *Monsieur Duguay-Trouin, corsaire du roi*. Paris: Plon, 1930.

POOLMAN, Kenneth. *The Speed well voyage: a tale of piracy and mutiny in the eighteenth century*. Annapolis: Naval Institute Press, 1999.

POULAIN, Jean. *Histoire de Duguay-Trouin et de Saint-Malo, la cité-corsaire*. Rennes: Découvrance, 1994.

PROENÇA FILHO, Domício. *A poesia dos inconfidentes: poesia completa de Cláudio Manuel da Costa, Tomás Antônio Gonzaga e Alvarenga Peixoto*. Rio de Janeiro: Nova Aguilar, 1996.

PURCHAS, Samuel. *Hakluytus Posthumus, or Purchas his pilgrimes in five bookes*. Livro IV. Londres: Impresso por William Stansby para Henrie Fetherstone, 1625.

QUINCY, Charles Sévin, o marquês de. *Histoire militaire du regne de Louis le Grand, roy de France: enrichie des plans necessaires. On y a joint un traité particulier de pratiques & de maximes de l'art militaire*. [s.l.]: D. Mariette, 1726.

RANKIN, Hugh F. *The golden age of piracy*. Nova York: [s.e.], 1969.

RAPPENEAU, Georges. *De la piraterie du droit des gens à la piraterie par analogie*. Arthur Rousseau, 1942.

RELAÇAM da vitoria que os portuguezes alcançarao no Rio de Janeyro contra os Francezes, em 19 de setembro de 1710. Lisboa: Officina de Antonio Pedrozo Galrao, 1711.

RELAÇÃO da victoria que os portugueses alcançaram no Rio de Janeiro contra os franceses em 19 de setembro de 1710. *Revista do Instituto Histórico e Geográfico Brasileiro*, t. XXIII, vol. 23, pp. 412-422, 1860.

RELATION de l'expedition de Rio-Janeiro. Paris: Pierre Cot, 1712.

Ribeiro, Eneida Beraldi. *Bento Teixeira e a "Escola de Satanás": o poeta que teve a "prisão por recreação, a solidão por companhia e a tristeza por prazer"*. São Paulo: Faculdade de Filosofia, Letras e Ciências Humanas da Universidade de São Paulo, 2007. Tese de doutorado.

Roberts, Henry. "Lancaster his allarums, honorable assaults and surprising of the block-houses and store-houses belonging to Fernand Bucke in Brasill (Londres, W. Barley, 1595)". In: *The voyages of Sir James Lancaster to Brazil and the East Indies. 1591-1603*. Introdução e notas sir William Foster. Londres: Hakluyt Society, 1940, pp. 52-73.

Rocha Pita, Sebastião da. *História da América Portugueza, desde o anno de mil e quinhentos do seu descobrimento, até o de mil e setecentos e vinte e quatro*. Lisboa: Officina de Joseph Antonio da Silva, Impressor da Academia Real, 1730.

Rudel, Yves-Marie. *Duguay-Trouin, corsaire et chef d'escadre (1673-1763)*. Paris: Perrin, 1973.

Sá, Vivien Kogut Lessa de. *Between Elizabethan England and Brazil: A critical edition of Anthony Knivet's "Admirable Adventures"*. Department of Literature, Film, and Theatre Studies, University of Essex, 2011. Tese de doutorado

──────. "O manuscrito roubado e o poeta elisabetano: encontros no Brasil no século dezesseis". In: Medeiros, Fernanda Teixeira de (org.). *Feminismos, identidades, comparativismos: vertentes nas literaturas de língua inglesa*. Rio de Janeiro: Letra Capital, 2013, vol. xi.

Salmoral, Manuel Lucena. *Piratas, bucaneros, filibusteros y corsarios en América*. Madri: mapfre, 1992.

Salvador, frei Vicente do. *História do Brasil. 1500-1627*. Belo Horizonte; São Paulo: Itatiaia; Edusp, 1982.

Schwartz, Stuart B. & Pécora, Alcir (orgs.). *As excelências do governador. O panegírico fúnebre a D. Afonso Furtado, de Juan Lopes Sierra (Bahia, 1676)*. São Paulo: Companhia das Letras, 2002.

Serrão, Joaquim Veríssimo. *O Rio de Janeiro no século xvi. Documentos dos arquivos portugueses*. Lisboa: Edição da Comissão Nacional das Comemorações do iv Centenário do Rio de Janeiro, 1965, vol. 2.

Simancas: "October 1580". Calendar of State Papers, Spain (Simancas), vol. 3, pp. 52--63, 1580-1586 (1896).

Soares, Francisco. *Coisas notáveis do Brasil*. Edição de A. G. Cunha. Rio de Janeiro: Instituto Nacional do Livro, 1966.

Southey, Robert. *História do Brasil traduzida do inglês de Roberto Southey pelo Dr. Luiz Joaquim de Oliveira e Castro*. Rio de Janeiro: Livraria Garnier, 1862, t. ii, p. 21.

Sousa, Gabriel Soares de. *Tratado descritivo do Brasil em 1587*. Edição de Francisco Adolfo de Varnhagen. Rio de Janeiro: Companhia Editora Nacional, 1987.

Sousa, Pero Lopes de. *Diário da navegação de Pero Lopes de Sousa*. Lisboa: Tipografia da Sociedade Propagadora dos Conhecimentos Úteis, 1839.

Souza, Augusto Fausto de. "Fortificações no Brasil". *Revista do Instituto Histórico e Geográfico Brasileiro*, t. LXVIII, parte II, pp. 5-140, 1885.

Souza, Thomas Oscar Marcondes de. *O descobrimento do Brasil*. São Paulo: Companhia Editora Nacional, 1946.

Sturzeneker, Gastão Ruch. "João Francisco du Clerc. Fragmentos de uma memória". *Revista do Instituto Histórico Geográfico Brasileiro*, vol. especial consagrado ao I Congresso de História Nacional, parte I. Rio de Janeiro: Imprensa Nacional, 1915.

Taunay, Afonso de E. *Rio de Janeiro de Antanho. Impressões de Viajantes Estrangeiros*. São Paulo: Companhia Editora Nacional, 1942.

——————. *Visitantes do Brasil colonial*. São Paulo: Companhia Editora Nacional, 1944.

Taylor, Eva G. R. *The original writings and correspondence of the two Richard Hakluyts*. Londres: Hakluyt Society, 1935.

Teixeira, Bento. *Prosopopeia*. Edição de Marcello Moreira. In: Teixeira, Ivan (org.). *Multiclássicos. Épicos*. São Paulo: Edusp; Imprensa Oficial do Estado de São Paulo, 2008.

The well governed and prosperous Voyage of M. James Lancaster. In: Hakluyt, Richard. *The third and last volume of the voyages, navigations, traffiques, and discoveries of the English Nation*. Londres: George Bishop e Ralph Newberie, 1600.

Thevet, André. *As singularidades da França Antártica*. Tradução de Eugenio Amado. São Paulo: Itatiaia, 1978.

Thomas, Antoine Léonard. *Elogio de Renato Duguay-Trouin, tenente general das armadas navais de França, comendador da Ordem Real Militar de S. Luiz*. Traduzido da língua francesa, com todas as notas, e uma advertência do tradutor, que em parte pode servir para exame da obra, por um homem de mar. Lisboa: Régia Oficina Tipográfica, 1774.

Valle, Leonardo do. "Carta do padre Leonardo do Valle escripta de S. Vicente a 23 de junho de 1565". In: Navarro, Azpilcueta et alli. *Cartas avulsas, 1550-1568*. Belo Horizonte/São Paulo: Itatiaia/Editora da Universidade de São Paulo, 1988.

Vasconcellos, Simão. *Chronica da Companhia de Jesu do Estado do Brasil*. Lisboa: Tipografia Panorama, 1865.

Willen, Thomas Stuart. *Studies in Elizabethan foreign trade*. Manchester: The University of Manchester Press, 1959.

Whithall, John. "A letter written to M. Richard Stapers by John Whithall from Brasil, in Santos the 26 of June 1578". In: Hakluyt, Richard. *The Principall Navigations, Voiages and Discoveries of the English Nation made by Sea or ouer Land*. London: G. Bishop and R. Newberie, 1589.

Winston, Alexander. *Pirates and Privateers*. Londres: Arrow Books, 1972.

Wolfzettel, Friedrich. *Le discours du voyageur: pour une histoire littéraire du récit de voyage en France, du Moyen Age au XVIIIe siècle*. Paris: PUF, 1996.

ESTE LIVRO, COMPOSTO NA FONTE FAIRFIELD, FOI IMPRESSO
EM PAPEL PÓLEN SOFT 80 G/M², NA GRÁFICA BMF.
OSASCO, BRASIL, OUTUBRO DE 2020.